LA ESCENA DEL CRIMEN

Así trabaja el CSI

Los agentes realizan una inspección ocular de un aparcamiento tras un tiroteo. Para asegurarse de que no se les escapa nada, forman en línea, de pie, hombro con hombro. Después, cada uno de los agentes inspecciona la zona que tiene justo delante.

LA ESCENA DEL CRIMEN

Así trabaja el CSI

Richard Platt

PRÓLOGO de
Kathy Reichs

ESPASA

Coordinadora: Carolina Reoyo
Editor: Víctor Álvarez

Traducción: Lexware SCP

Publicado con el acuerdo
de Kingfisher Publications Plc

ESPASA

Título original: Forensics

© Kingfisher Publications Plc, 2005
© De esta edición,
   Espasa Calpe, S. A., 2006

ISBN: 84-670-2251-5

Espasa Calpe S. A.
Vía de las Dos Castillas, 33 — Edif.4
28224 Pozuelo de Alarcón (Madrid)

Índice

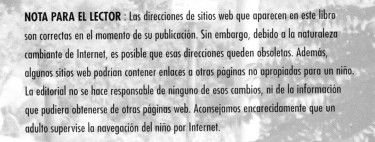

PROFUNDIZA...
SÍMBOLOS:

 Sitios web y lecturas aconsejados

 Orientación profesional

 Visitas recomendadas

CAPÍTULO 3
Laboratorio criminalístico 39

Prólogo

¿Ves películas policiacas en la tele? ¿Lees novelas de misterio? ¿Crees que se te daría bien pillar a los malos? Si es así, este es tu libro.

Al contrario de lo que se piensa, los casos policiales no los resuelve una llamativa magia tecnológica. Tampoco son cosa de héroes que actúan en solitario. La penalización de los infractores de la ley se basa en una cuidadosa recopilación de pruebas, el esfuerzo de muchos profesionales y la ciencia de toda la vida. Gracias al trabajo en equipo, los investigadores averiguan qué ha sucedido en el escenario del crimen y quién ha estado allí. La policía científica constituye una parte importante de toda investigación policial.

Este libro contiene abundante información sobre las actuaciones de los grupos de policía científica, que se divide en dos grandes bloques: el trabajo de campo (la recogida de pruebas) y el de laboratorio (el análisis de las pruebas).

A principios del siglo XX, el doctor Edmond Locard, que dirigía un laboratorio policial en Lyon (Francia), ideó una regla que aún lleva su nombre, el *principio de intercambio de Locard*, según el cual todo contacto deja una huella. Esto significa que siempre que dos personas se encuentran o se tocan o entran en una habitación van dejando tras de sí diminutas partículas de sí mismos: una fibra de tejido, una mota de polvo o incluso una pestaña. Esas partículas transferidas son la perdición de los delincuentes.

La policía científica se dirige al escenario del crimen y lo precinta. Los agentes fotografían y graban en vídeo el lugar y a las víctimas (si las hubiera). Estos hombres y mujeres están preparados para detectar todas esas partículas diminutas y descubrir la relación existente entre ellas y su entorno. Saben cómo recoger y preservar huellas dactilares, sangre, huellas de neumáticos, pedacitos de pintura o fragmentos de bala. ¡Hasta esa mota de polvo o esa pestaña que han quedado atrás!

Los agentes responsables de la inspección ocular técnico-policial llevan todo lo que encuentran al laboratorio criminalístico. Allí, cada especialista examina algo distinto: unos se centran en los documentos y la caligrafía, otros analizan las herramientas y las armas, o los productos químicos y los venenos, o las bombas y los explosivos, o el ADN y otras sustancias biológicas.

He trabajado durante muchos años en un laboratorio mixto de criminalística y medicina legal en Montreal. Yo estoy en la parte de medicina legal. Nuestro departamento tiene un cometido específico: la «prueba» que examinamos es la propia víctima. A veces, tenemos que identificar un cuerpo, otras debemos averiguar la causa de la muerte.

Al igual que los profesionales del laboratorio criminalístico, los del servicio de identificación de la unidad central de criminalística tenemos áreas de especialización: el patólogo forense realiza autopsias para determinar la causa de la muerte; el odontólogo forense examina los dientes; el radiólogo forense estudia el cuerpo por rayos X.

Yo soy antropóloga forense. Examino cuerpos descompuestos, quemados o momificados, y también esqueletos. Pueden pedirme que determine la edad, el sexo, la raza y la estatura de alguien, que busque lesiones en los huesos, que calcule el tiempo que un individuo lleva muerto o que descubra qué agresiones ha sufrido el cuerpo después de que el sujeto dejara de respirar.

Me encanta ser forense. Es un trabajo reconfortante y emocionante. Ayudo a las familias a tranquilizarse facilitándoles respuestas, a la policía a resolver los casos facilitándoles pistas y a los fiscales en los juicios ofreciéndoles mi testimonio.

Este libro es una increíble introducción a mi mundo, que muestra lo divertida que puede ser la ciencia. El texto y las fotografías que contiene explican lo que mis colegas y yo hacemos en el escenario del crimen y en el laboratorio criminalístico.

La criminalística está de moda en los medios. Eso no durará, pero no importa. Lamentablemente, siempre habrá crímenes, y la policía científica siempre será necesaria. Espero que la lectura de este libro te empuje a unirte a nuestro equipo.

Kathy Reichs

Kathy Reichs. Antropóloga forense y autora de novelas de misterio de éxito internacional.

CAPÍTULO 1

Indicios, vestigios y pruebas

En todo momento del día hay delincuentes haciendo de las suyas. Para atraparlos, las fuerzas policiales confían cada vez más en la ciencia forense, ciencia que estudia el modo de esclarecer los delitos.

La ciencia forense tiene su punto de partida en el escenario del crimen, el lugar en el que se comete el delito. Allí, los investigadores esperan encontrar pistas que los conduzcan a un sospechoso: alguien a quien pueda responsabilizarse del hecho delictivo. Los agentes realizan una inspección ocular de la zona en busca de indicios, vestigios y pruebas. Puede tratarse de cualquier objeto, traza o impronta que facilite información sobre lo sucedido.

El escenario del crimen

Luces azules parpadean en una calle oscura. Bandas de plástico ondean entre los árboles. Figuras uniformadas mantienen alejada a una multitud curiosa. Bienvenido al escenario del crimen. Los agentes de la ley y los investigadores ponen especial cuidado en preservar el escenario del crimen tal como lo encuentran, porque las pruebas son frágiles y unos pies torpes o unas manos entrometidas pueden destruirlas fácilmente. Sin pruebas, puede resultar imposible esclarecer un crimen y capturar a los culpables.

Una sola oportunidad

Los primeros agentes en llegar al escenario de un crimen deben mirar con cuidado a su alrededor para no alterar nada de lo que encuentren. Esa precaución y ese cuidado tienen una justificación lógica: los primeros agentes cuentan con una ocasión única y especial porque ven el escenario reciente e intacto. Muy pronto, sus propias acciones —y las de otros— producirán cambios que jamás podrán deshacerse. Por ejemplo, el simple hecho de pisar una alfombra para auxiliar a un herido puede destruir las huellas que habría dejado un atacante huido.

Protección de las huellas

Los agentes de la unidad de policía científica encargados de la inspección ocular (IO) del escenario toman medidas inmediatamente para protegerlo. Intentan averiguar por dónde han entrado los delincuentes para cometer el hecho delictivo, dónde han estado y por dónde han salido después. Estos lugares pueden contener pruebas importantes, como huellas de un sospechoso, por lo que es vital que sigan intactos. Los agentes determinan dónde no van a encontrar pruebas, con el fin de usar solo estas zonas para entrar y salir del escenario y no alterar otras más importantes.

Protección del escenario

Una vez precintada la zona, hay otras precauciones sencillas, pero esenciales, que los agentes deben tomar. No deben comer, beber, ni fumar, porque esto deja rastros que más tarde pueden confundir a los investigadores. Por la misma razón, no deben usar el teléfono ni el baño si forman parte del escenario del crimen. A veces, su trabajo los obliga a modificar el escenario, por ejemplo, al abrir una puerta para entrar. Si esto sucede, en el informe pericial deberán dejar constancia de ello. Este tipo de detalles pueden suponer que un delincuente vaya a prisión o escape impune.

Testigos

A pesar de su observación cuidadosa y de sus anotaciones, un agente nunca puede saber tanto sobre un crimen como alguien que ha visto lo sucedido. Estos testigos son esenciales para una investigación. La policía se apresura a identificarlos y se asegura de que no abandonan el escenario del crimen sin ser interrogados.

◄ Cuando los agentes de policía responden a una llamada de emergencia, sus primeras tareas consisten en ocuparse de las posibles víctimas del crimen, arrestar a los sospechosos (izda.) e identificar a los testigos (personas que han visto lo ocurrido).

► Cuantas más personas visiten el escenario de un crimen, más posibilidades hay de que se destruyan pruebas. Por eso, una de las máximas prioridades es mantener alejados a los periodistas y a los vecinos curiosos, incluso a agentes cuya presencia no sea absolutamente imprescindible. Esto se hace precintando la zona con una banda de plástico que impida el paso y poniendo a un agente de guardia.

► Todas las pruebas encontradas y los interrogatorios realizados a los testigos oculares se registran y se guardan en los archivos policiales. Los ordenadores portátiles y las comunicaciones inalámbricas permiten a los agentes acceder a los archivos de las comisarías desde el escenario del crimen. Así, pueden cotejar la información rápida y fácilmente.

Recogida de pruebas

Las pruebas que los investigadores encuentran en el escenario del crimen pueden conducirlos a los delincuentes responsables del delito. Sin embargo, una búsqueda exhaustiva de pruebas es importante incluso cuando los agentes de policía están seguros de saber quién lo ha hecho. Sin pruebas, resulta difícil demostrar siquiera que el sospechoso se encontraba en el lugar. Además, en un tribunal, un juez o un jurado pueden dudar del testimonio de la policía si no hay pruebas. Salvo que se sepa con seguridad que los sospechosos son culpables, no se les puede castigar.

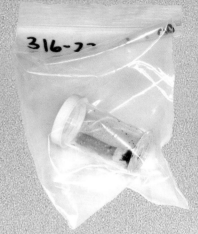

▲ El número de registro e inscripción de todas las pruebas se almacena en una base de datos. De esta forma, los agentes pueden llevar un seguimiento de todo lo encontrado.

Inspección ocular técnico-policial (IOTP)

La labor de los agentes de la IO consiste en localizar, preservar y registrar pruebas. Por ejemplo, una ventana rota podría constituir una prueba de cómo han entrado los ladrones en una casa. La sangre de la ventana podría ayudar a identificarlos y las huellas podrían coincidir con las de un delincuente conocido. Sin embargo, pocos delitos son tan claros. Los delincuentes profesionales procuran no dejar pistas. Aunque la explicación del delito parezca obvia y los investigadores crean saber quién lo hizo, deben registrarlo todo.

Inicio de la búsqueda

Los agentes empiezan por buscar las pruebas que el paso del tiempo o las condiciones meteorológicas puedan destruir, como el rastro de neumáticos en la nieve. Después, examinan las zonas asociadas al delito; por ejemplo, en un asesinato, buscan cerca del cuerpo.

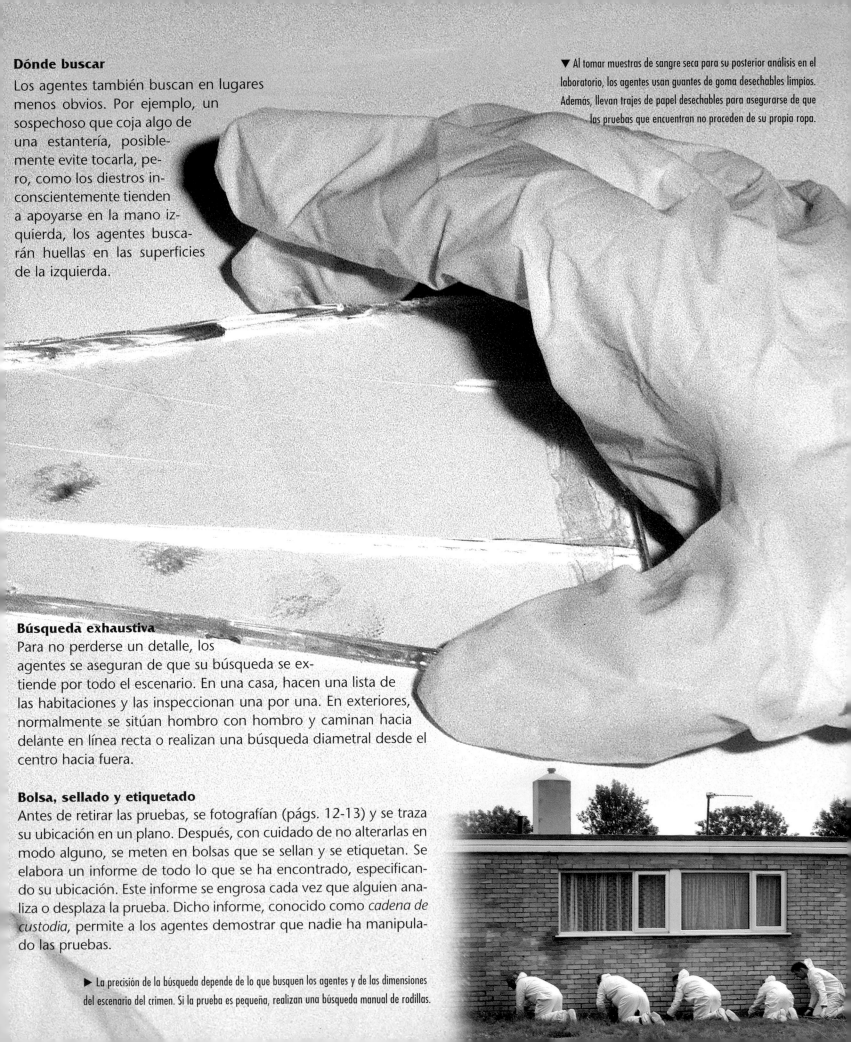

Dónde buscar

Los agentes también buscan en lugares menos obvios. Por ejemplo, un sospechoso que coja algo de una estantería, posible- mente evite tocarla, pe- ro, como los diestros in- conscientemente tienden a apoyarse en la mano iz- quierda, los agentes busca- rán huellas en las superficies de la izquierda.

▼ Al tomar muestras de sangre seca para su posterior análisis en el laboratorio, los agentes usan guantes de goma desechables limpios. Además, llevan trajes de papel desechables para asegurarse de que las pruebas que encuentran no proceden de su propia ropa.

Búsqueda exhaustiva

Para no perderse un detalle, los agentes se aseguran de que su búsqueda se ex- tiende por todo el escenario. En una casa, hacen una lista de las habitaciones y las inspeccionan una por una. En exteriores, normalmente se sitúan hombro con hombro y caminan hacia delante en línea recta o realizan una búsqueda diametral desde el centro hacia fuera.

Bolsa, sellado y etiquetado

Antes de retirar las pruebas, se fotografían (págs. 12-13) y se traza su ubicación en un plano. Después, con cuidado de no alterarlas en modo alguno, se meten en bolsas que se sellan y se etiquetan. Se elabora un informe de todo lo que se ha encontrado, especifican- do su ubicación. Este informe se engrosa cada vez que alguien ana- liza o desplaza la prueba. Dicho informe, conocido como *cadena de custodia*, permite a los agentes demostrar que nadie ha manipula- do las pruebas.

▶ La precisión de la búsqueda depende de lo que busquen los agentes y de las dimensiones del escenario del crimen. Si la prueba es pequeña, realizan una búsqueda manual de rodillas.

Fotografía policial

▲ Alphonse Bertillon fue el primero en darse cuenta de que las fotografías resultan inútiles como medio de identificación salvo que se tomen todas con la misma iluminación y el mismo ángulo. En la imagen, el propio Bertillon posa de frente y de perfil de lo que ahora es la foto estándar de ficha policial de la que fue pionero.

La cámara fotográfica es quizá la herramienta más útil para el investigador en el escenario de un crimen. Con una sencilla cámara, los fotógrafos forenses realizan un registro rápido antes de que cualquier cosa se vea alterada. Pero no es tan fácil como parece. Para revelar pistas invisibles al ojo humano, se emplean complejos equipos y técnicas de iluminación especiales. La cámara captura también las pruebas que son demasiado grandes para moverlas del escenario y los vestigios que las pruebas posteriores pueden destruir.

▼ Las fuentes de luz forense producen rayos intensos de colores brillantes. Estos haces de luz, en combinación con determinados compuestos químicos, revelan con mucha más claridad las huellas dactilares en las fotografías o permiten descubrir manchas de sangre previamente lavadas.

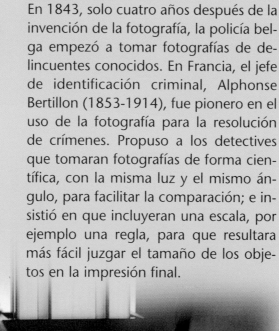

Primeras fotografías

En 1843, solo cuatro años después de la invención de la fotografía, la policía belga empezó a tomar fotografías de delincuentes conocidos. En Francia, el jefe de identificación criminal, Alphonse Bertillon (1853-1914), fue pionero en el uso de la fotografía para la resolución de crímenes. Propuso a los detectives que tomaran fotografías de forma científica, con la misma luz y el mismo ángulo, para facilitar la comparación; e insistió en que incluyeran una escala, por ejemplo una regla, para que resultara más fácil juzgar el tamaño de los objetos en la impresión final.

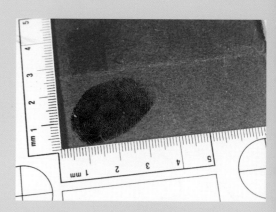

▲ La inclusión de una escala en los primeros planos forenses permite a los investigadores juzgar el tamaño del objeto fotografiado. En el caso de las huellas dactilares, no suele ser necesario, pero hay objetos, como las armas blancas, cuyo tamaño no es tan claro, aunque sí muy importante.

Alineación de la imagen

Algunas de las ideas de Bertillon siguen siendo válidas. Los fotógrafos forenses aún usan una escala y se aseguran de que la cámara esté en línea con el sujeto y no oblicua a este. Estas precauciones garantizan el registro de las pruebas con la máxima claridad posible.

No obstante, la tecnología y los equipos que usan los fotógrafos han cambiado. Hoy en día se hacen fotografías en color, y con las cámaras digitales o las de película instantánea puede verse si la fotografía tomada es válida o no.

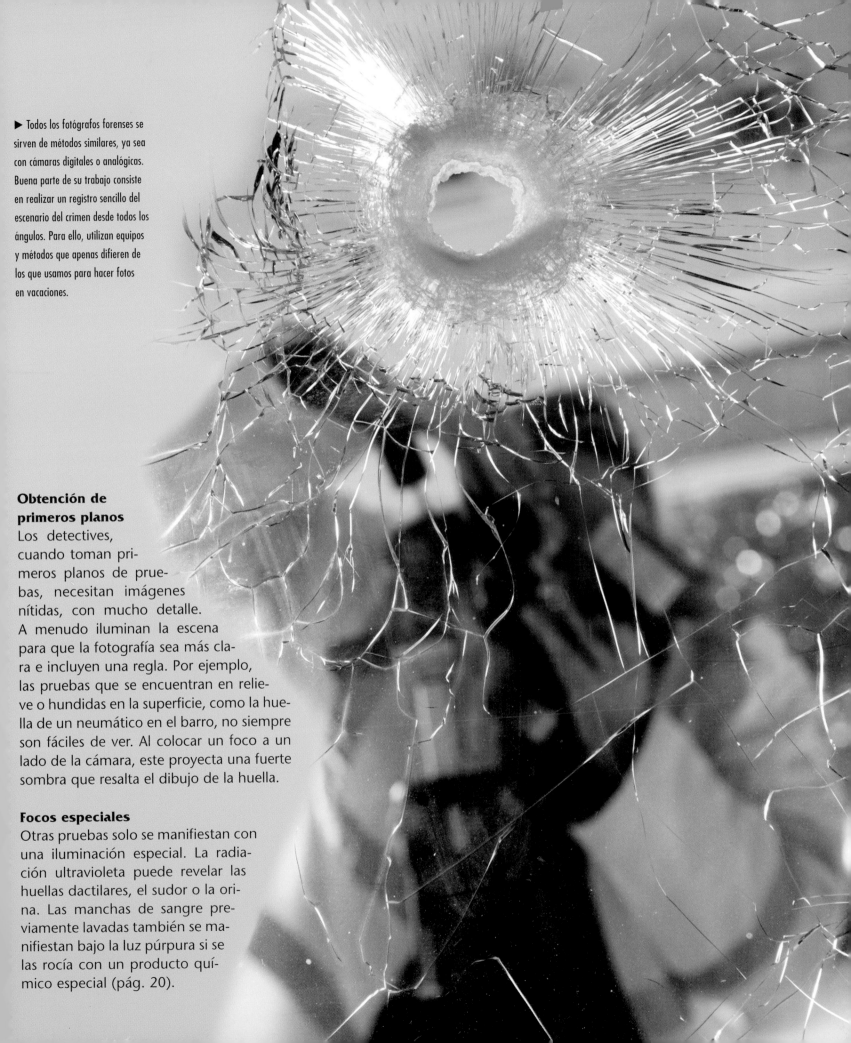

► Todos los fotógrafos forenses se sirven de métodos similares, ya sea con cámaras digitales o analógicas. Buena parte de su trabajo consiste en realizar un registro sencillo del escenario del crimen desde todos los ángulos. Para ello, utilizan equipos y métodos que apenas difieren de los que usamos para hacer fotos en vacaciones.

Obtención de primeros planos

Los detectives, cuando toman primeros planos de pruebas, necesitan imágenes nítidas, con mucho detalle. A menudo iluminan la escena para que la fotografía sea más clara e incluyen una regla. Por ejemplo, las pruebas que se encuentran en relieve o hundidas en la superficie, como la huella de un neumático en el barro, no siempre son fáciles de ver. Al colocar un foco a un lado de la cámara, este proyecta una fuerte sombra que resalta el dibujo de la huella.

Focos especiales

Otras pruebas solo se manifiestan con una iluminación especial. La radiación ultravioleta puede revelar las huellas dactilares, el sudor o la orina. Las manchas de sangre previamente lavadas también se manifiestan bajo la luz púrpura si se las rocía con un producto químico especial (pág. 20).

Marcas reveladoras

Un reguero de sangre, un grupo de orificios de bala o una serie de arañazos en el alféizar de una ventana: todas estas marcas en el escenario del crimen tienen algo que decirnos. Todas forman trazas. Su lectura y comprensión ayuda a los investigadores a reconstruir un hecho delictivo. La forma de las marcas y su posición puede revelar el modo en que el delincuente ha entrado en la casa, dónde ha estado situado e incluso si era diestro o zurdo.

▲ Los restos de sangre ponen de manifiesto que se trata de un crimen violento. La forma y el tamaño de las manchas revelan el recorrido de la sangre y la dirección en la que viajaba. Los charcos de sangre en el suelo indican dónde se encontraba la víctima herida o moribunda. Todos estos vestigios se numeran para facilitar a los técnicos policiales la descripción del escenario del crimen.

Un conjunto de marcas

Una marca suelta en una traza quizá no resulte muy importante por sí misma. Por ejemplo, una sola hendidura en el marco de una ventana posiblemente diga muy poco a los investigadores. Sin embargo, el conjunto de todas las marcas que constituyen la traza les dice mucho más. Esos arañazos y hendiduras se denominan *trazas instrumentales*. Las marcas realizadas por una herramienta al forzar una puerta pueden llevarnos hasta la herramienta que las causó.

Las muescas delatoras

A veces, las trazas instrumentales solo nos indican el tipo de herramienta utilizada por el delincuente. Sin embargo, las herramientas viejas tienen arañazos y muescas que las hacen únicas. Cuando se usa una palanca vieja para abrir una ventana, la herramienta deja en la pintura una marca tan exclusiva como la firma de una persona. Si la policía encuentra la palanca, puede comparar sus marcas con las de la traza instrumental y acusar a su propietario.

Armas y munición

Las armas también nos dicen una cosa, o mejor dicho, dos, porque todas las balas tienen dos partes. La posta de plomo disparada desde el cañón marca o perfora todo lo que toca. Esa traza revela a los detectives la trayectoria de la bala. La otra parte de la bala, el casquillo, no sale disparada por el cañón, sino que suele expulsarse hacia un lado. Por eso la disposición de los casquillos puede revelarnos dónde se encontraba situado el asesino al disparar.

◄ La traza de las grietas en los cristales rotos revela no solo la dirección de las balas, sino también el orden en que se dispararon. Las grietas de una bala no se entremezclan con las de otra disparada con anterioridad.

► Los ladrones cuidadosos llevan guantes para evitar dejar huellas, pero las herramientas que usan pueden dejar un rastro que puede conducir a los investigadores hasta ellos.

Registro de trazas

Los agentes encargados de la inspección ocular del escenario del crimen usan mediciones y cámaras para registrar y preservar las trazas. Si se ha producido un tiroteo, los detectives marcan la posición de los casquillos expulsados mediante etiquetas numeradas y los fotografían antes de recogerlos para su análisis (pág. 54). Para documentar la trayectoria de una bala, la reproducen con cordeles, varillas o rayos láser.

El análisis de los restos de sangre requiere una habilidad especial. Con la ayuda de líneas regladas, cordeles o sistemas informáticos, los técnicos elaboran un croquis de los ángulos de las salpicaduras. Las gotas apuntan al lugar exacto en que se encontraba situada la víctima cuando fue agredida.

Las armas de fuego, la sangre y las herramientas no son los únicos elementos que dejan vestigios delatores. El cristal roto, las quemaduras y los muebles también pueden dejar marcas que un investigador alerta puede utilizar para resolver un crimen.

◄ Los rayos láser son muy prácticos para seguir la trayectoria de una bala desde el cañón del arma hasta la víctima, pero no se ven en las fotografías normales. Si se llena la escena de humo, los rayos láser se ven como líneas de colores vivos, que revelan la dirección posible de recuperación de la bala en caso de que no alcanzara a la víctima a la que iba destinada.

Localización de un cuerpo

Las muertes sospechosas constituyen un desafío especial para los investigadores. Dado que el asesinato es el más grave de los delitos, deben tener un cuidado extraordinario para preservar cualquier prueba que pudieran encontrar en el cuerpo o alrededor de este. Incluso la propia temperatura corporal es importante, porque puede indicar el momento en que falleció la víctima. Sin embargo, el primer paso consiste en comprobar que el individuo está realmente muerto, por lo que los investigadores siempre buscan signos de vida, aunque esto suponga la destrucción de pistas.

Búsqueda de signos de vida

Los investigadores comprueban la respiración y el pulso. Si la víctima presenta estas constantes vitales, llamarán a una ambulancia e iniciarán los primeros auxilios.

Si no hay signos de vida, pueden hacer muy poco, salvo esperar la llegada del patólogo y el fotógrafo. Los patólogos son médicos que estudian las enfermedades y las lesiones y sus causas. Los patólogos forenses se especializan en los daños que un crimen puede producir en el cuerpo humano.

◄ Durante la exploración, el fotógrafo forense se sitúa muy cerca del patólogo. Trabajan en equipo para registrar el escenario con la máxima precisión posible. Sus notas y fotografías constituyen un eslabón importante en la cadena de pruebas con la que esperan poder encontrar al culpable.

Hora de la muerte

Antes de que el patólogo toque el cuerpo, el fotógrafo le hace varias fotografías. Esto es necesario porque la exploración realizada por el patólogo alterará el escenario del crimen y quizá algunas pruebas.

Para averiguar cuándo ha muerto el sujeto, el patólogo toma las temperaturas corporal y ambiental. A 21 °C, un cuerpo humano sin vida se enfría unos 10 °C en doce horas, con lo que estas dos mediciones pueden revelarnos la hora de la muerte.

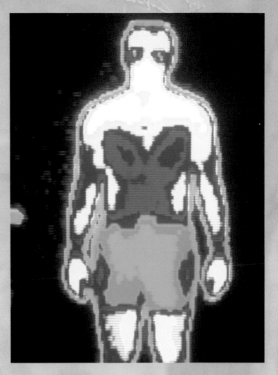

▶ Aunque la piel de una persona parezca fría, el interior del cuerpo se enfría más lentamente. En la imagen, tomada con una cámara que registra las diferencias de temperatura mediante colores, podemos ver que las zonas más cálidas, de color púrpura, son las del centro del cuerpo.

▲ En las búsquedas de desaparecidos y víctimas de crímenes violentos, tan pronto como es posible, la policía se sirve de perros de rastreo. A medida que avanza la investigación, el número de personas implicadas en la búsqueda —tanto policías como voluntarios— es cada vez mayor, y su olor, que se extiende por la zona de búsqueda, confunde a los perros.

Rígor mortis

A continuación, el patólogo comprueba si existe rígor mortis, literalmente «rigidez de la muerte», que es la inflexibilidad característica del cuerpo de un difunto. Empieza por el rostro, después se extiende a la totalidad del cuerpo en un plazo de entre seis y doce horas. El punto hasta el que se haya extendido puede revelar la hora de la muerte.

Además, el patólogo lleva a cabo una breve exploración general del cuerpo en busca únicamente de pruebas que puedan deteriorarse o desaparecer. Se toman muestras de la boca y de otros orificios corporales. También es posible que se hayan generado algunos fluidos; las muestras halladas en el suelo o los muebles en los que yace la víctima lo confirman.

Color revelador

El patólogo busca también una coloración rojiza. Después de la muerte, la sangre fluye en su totalidad hacia la mitad inferior del cuerpo y le proporciona un color más rosado. Si esta coloración aparece en alguna otra parte, es posible que se haya movido el cuerpo.

Por último, se lleva el cadáver al laboratorio. Dentro de la bolsa del cadáver, se añade una capa extra de envoltorio a la cabeza, las manos y los pies. De esta forma, resulta más fácil identificar y recoger las pruebas que caen de estas partes del cuerpo.

Obtención de huellas

Hay un tipo muy especial de traza, de valor único para los investigadores. Las huellas dactilares son la más personal de todas las trazas, y las dejamos en casi todo lo que tocamos. Las forman los pliegues concéntricos de la piel de las manos. El dibujo de esos pliegues es distinto en cada persona, se llama *dibujo papilar,* y la ciencia que lo estudia es la *dactiloscopia.* Las huellas dactilares que los delincuentes dejan tras de sí pueden revelar dónde han estado, qué han hecho y quiénes son.

▲ Para recoger huellas de objetos lustrosos en el escenario del crimen, solo se necesita un rollo de cinta adhesiva. El adhesivo fija las huellas en una ficha probatoria que constituye el dactilograma.

El toque personal

Los investigadores buscan huellas dactilares con muchísimo cuidado. A veces son obvias, pero en la mayoría de los casos los delincuentes no facilitan la labor del técnico policial. Las huellas que dejan unas manos limpias, incluso en superficies lisas como el cristal o el metal, son difíciles de ver a menos que la luz brille desde el ángulo adecuado. En superficies más rugosas o con dibujos, como el papel, las huellas dactilares pueden ser completamente invisibles.

Huellas latentes

Para encontrar las huellas ocultas en superficies lisas, los agentes usan unos pinceles con los que cubren de un polvillo muy fino (negro de humo) esas superficies. Este polvillo se adhiere a los rastros de grasa y sudor que marcan las huellas dactilares. Para no estropear las huellas de superficies muy lustrosas, los agentes emplean una mezcla de ese polvillo con limaduras de hierro y la aplican con un pincel magnético que no toca la superficie.

Registro de indicios

El siguiente paso es preservar las huellas para que puedan usarse como pruebas. Primero, los agentes toman fotografías. Después, si el objeto en el que se encuentran es suficientemente pequeño, se lo llevan al laboratorio criminalístico. Si estas se encuentran en un objeto inmoble, las recogen con una cinta adhesiva especial. Al adherirla a una ficha probatoria, los agentes pueden archivarla y localizarla fácilmente cuando la necesiten. Esto es el dactilograma.

Vaciado de huellas profundas

Las huellas dactilares no son las únicas huellas que los investigadores estudian en el escenario del crimen. También buscan las huellas de pies descalzos y pisadas de calzado, así como el rastro de los neumáticos de los vehículos.

◄ Los investigadores que buscan huellas dactilares empiezan por los sitios obvios. En casa, nadie lleva guantes para teclear, por eso el agente está empolvando un teclado de ordenador.

Los agentes encargados de la inspección ocular registran las huellas profundas de pies, calzado, orejas y neumáticos, primero con una cámara y después vertiendo un compuesto de moldeado líquido en el hueco de la huella. El compuesto se solidifica en unos minutos y crea un registro permanente que permite a los investigadores localizar los pies, el calzado o el vehículo de un sospechoso.

Las huellas de pies y de calzado en una alfombra o en el suelo son más difíciles de registrar. A menudo, si las huellas son complicadas de fotografiar, los agentes intentan recogerlas. Para ello, pueden utilizarse varios dispositivos dis-

▲ Las huellas de neumáticos en un accidente automovilístico permiten a los investigadores reconstruir lo sucedido. Pueden revelar la velocidad a la que iba cada vehículo, hacia dónde giraba el volante cada conductor y cuándo pisó el freno.

tintos. En suelos duros, los técnicos usan gel, una lámina de un material pegajoso que recoge el dibujo del polvo o de la suciedad. Si hay huellas en documentos o papel, los agentes usan un detector electrostático. Se trata de una lámina de papel de aluminio cubierta de plástico negro y conectada a un dispositivo que genera una elevada carga electrostática. Dicha carga atrae el polvo de la huella al plástico negro, donde se ve más fácilmente.

▼ Las huellas de zapatillas de deporte son una prueba muy valiosa, porque no hay dos estilos que tengan el mismo dibujo. Que el estilo coincida no es suficiente para demostrar que el calzado de un sospechoso ha dejado huellas en el escenario del crimen; también deben coincidir las marcas de desgaste y los cortes de las suelas.

Revelado de lo invisible

En el escenario de un homicidio sangriento, el asesino se esfuerza por limpiar. El detergente elimina las manchas de sangre. ¿Seguro? Cuando llegan los investigadores, empiezan a sospechar. Rocían la escena del crimen con productos químicos especiales, y manchas de sangre resplandecientes aparecen en las paredes y en el suelo. Parece magia, pero es pura ciencia forense. Los investigadores cuentan con un enorme y creciente juego de herramientas de productos químicos y métodos que hacen visibles las pistas ocultas.

Búsqueda de sangre

Los indicios de crímenes no son siempre fáciles de ver. Los investigadores tienen que trabajar mucho para encontrar las pistas que necesitan para capturar a los delincuentes y demostrar su culpabilidad. Los investigadores necesitan saber si hay sangre en el escenario del crimen y dónde se encuentra. Para averiguarlo, rocían cualquier zona sospechosa con productos químicos como el luminol o la fluorescina. Estos dos compuestos hacen que las manchas de sangre brillen en la oscuridad; incluso

después de haberlas frotado, queda sangre suficiente para que los productos químicos reaccionen. Aunque el luminol solo brilla unos segundos después de rociarlo, la fluorescina produce un brillo de mayor duración cuando las manchas se iluminan con luz ultravioleta.

Revelado de huellas dactilares

Del mismo modo que estos productos químicos pueden revelar manchas de sangre débiles, otros permiten mostrar huellas débiles en superficies que resulta difícil o imposible empolvar. Una de las mejores formas de conseguir que las huellas resulten más fáciles de ver es el uso del cianoacrilato adhesivo o *superglue*. Este pegamento despide un vapor que se adhiere al sudor de las huellas y cubre cada uno de sus pliegues con una capa de plástico blanco y duro claramente visible. Los técnicos policiales fumigan las superficies en las que podría haber huellas dactilares con vapor de *superglue* o se llevan los objetos pequeños al labo-

◀ Usada con polvos y tintes, la luz láser permite ver claramente las huellas dactilares que de otro modo serían invisibles. Los detectives llevan gafas tintadas que les protegen los ojos y les permiten ver las huellas.

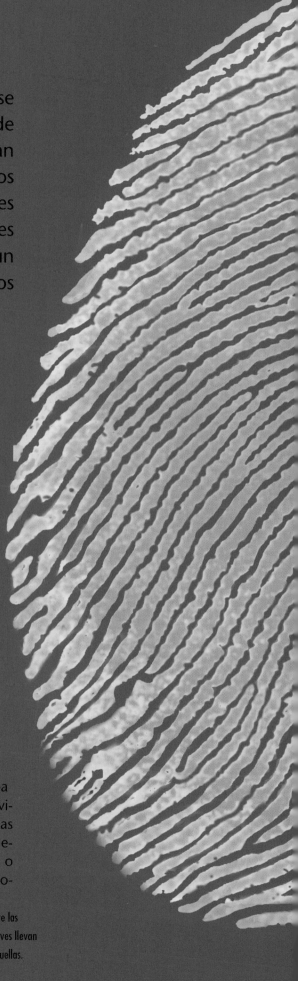

ratorio criminalístico para procesarlos en una urna llena de estos vapores.

Huellas problemáticas

Las superficies húmedas o absorbentes necesitan un tratamiento distinto. El ninhidrin, que se usa en superficies como el papel pintado, vuelve púrpura el sudor de las huellas dactilares. El DFO funciona de forma similar. Es cien veces más sensible, pero precisa una luz ultravioleta para revelar las huellas.

El caso de Richard Rogers

Unas bolsas de plástico tiradas en las carreteras de Nueva Inglaterra (EE.UU.) en la década de 1990 ocultaban secretos horripilantes: los cuerpos despedazados de cinco hombres. La policía no consiguió resolver nada en diez años, hasta que los forenses encontraron una forma nueva de revelar las huellas dactilares invisibles en el plástico. La condensación de metales en vacío (VDM o *Vacuum Metal Deposition*) se servía de vapor de oro para revelar las huellas tan claramente como en una fotografía. El cotejo de las huellas dactilares de las bolsas con los registros de todos los estados de EE.UU. condujo a los investigadores hasta el enfermero neoyorquino Richard Rogers. Los guantes encontrados junto a uno de los cuerpos se habían comprado cerca de su casa. Rogers fue arrestado en 2001.

◀ La ventaja de las técnicas de revelado de huellas dactilares latentes es obvia en esta fotografía. El lado derecho muestra la huella débil antes de rociarla con los productos químicos especiales. El lado izquierdo muestra lo claro que puede llegar a verse cada pliegue después de tratar la huella con productos químicos.

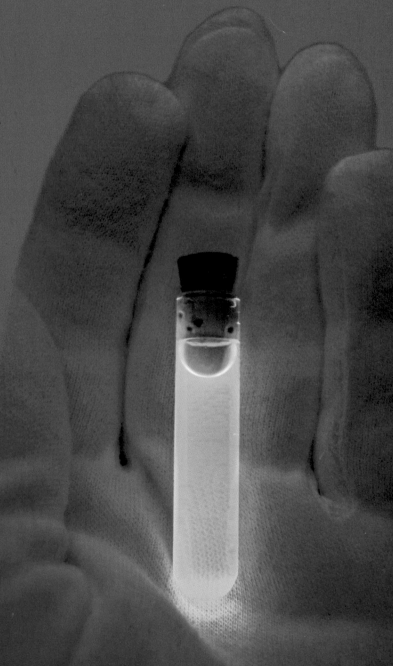

▶ El brillo intenso de las huellas dactilares reveladas se llama *fluorescencia*. Las sustancias fluorescentes, como este producto químico de laboratorio, absorben la radiación invisible y convierten su energía en luz de color que podemos ver y fotografiar.

RESUMEN DEL CAPÍTULO 1: INDICIOS, VESTIGIOS Y PRUEBAS

Pistas del escenario

Los investigadores inspeccionan el escenario del crimen en busca de pruebas que podrían conducirles al culpable del delito. Si no las pueden recoger inmediatamente, las protegen hasta que puedan registrarlas de forma segura. Se encargan de las víctimas e interrogan a los testigos. Los agentes responsables de la inspección ocular toman notas, y miden y fotografían las pruebas. Los fotógrafos forenses usan técnicas de iluminación especiales que les permiten fotografiar los detalles apenas perceptibles. A menudo utilizan cámaras digitales para poder ver los resultados inmediatamente.

Trazas de pruebas

Las trazas suelen revelar más que los indicios individuales. Por ejemplo, las manchas de sangre indican a los agentes el tipo de arma utilizada, y las trazas de las balas revelan dónde se encontraba el asesino y la trayectoria seguida por el proyectil. Las huellas dactilares son una forma especial de traza. No hay dos iguales, por lo que se usan como medio de identificación. Sin embargo, las huellas dactilares no son fáciles de ver. Los investigadores las resaltan empolvándolas. Después, las conservan fotografiándolas o recogiéndolas con cinta adhesiva. Además, los técnicos registran las huellas dactilares y las huellas de neumáticos haciendo moldes de las impresiones. Recogen las huellas polvorientas de documentos con un detector electrostático. Los investigadores incluso disponen de medios para encontrar marcas invisibles. Usan aerosoles de productos químicos y luces ultravioleta para revelar las manchas de sangre previamente lavadas.

Cadáveres

El hallazgo más horripilante del escenario de un crimen es un cuerpo sin vida. El patólogo comprueba la temperatura del cuerpo y la rigidez de este para determinar la hora de la muerte. La coloración rojiza del cuerpo indica si este se ha movido. Además, se toman muestras de los fluidos corporales antes de enviar el cadáver al laboratorio.

Profundiza...

Para averiguar más cosas sobre las distintas disciplinas de la ciencia forense y sobre criminalística en general —con la posibilidad incluso de acceder a la temática de los cursos que se imparten *on line* o por e-mail—, desde los comienzos de la ciencia hasta los nuevos descubrimientos para combatir el crimen, puedes visitar la página web http://www.mailxmail.com/curso/excelen cia/criminalistica.

Sobre la lucha contra el delito en España y su historia, encontrarás información en http://www.criminologia-hispana.org/histo.html.

Policía científica
Protege el escenario del crimen, recoge y preserva las pruebas, toma huellas y documentos del escenario.

Ayudante de pruebas
Recibe, registra y cataloga las pruebas y se asegura de que se encuentran disponibles en el juicio.

Fotógrafo forense
Se encarga de tomar fotografías y realizar grabaciones en vídeo del escenario del crimen, sirviéndose a menudo de técnicas de iluminación especiales.

Jefe de UPC
Controla el escenario del crimen, supervisa a los agentes, informa a los medios y se comunica con la comisaría.

Aunque en un principio está orientado para estudiantes de Criminología, puedes visitar el Museu de l'Institut de Criminologia, más conocido como el Museu del Delicte (Museo del Delito), que tiene un marcado carácter docente, en la Facultat de Dret de la Universitat de Barcelona, en la avenida Diagonal, número 684, de la capital catalana (tfno.: 93 230 11 12).

14:53:06

14:53:47

14:54:18

14:54:57

Imágenes de cámaras de vigilancia que muestran a un ladrón en acción

CAPÍTULO 2

Identificación de víctimas

Eres único. No es un piropo, sino un hecho. Cada ser humano es distinto de los demás. Sin embargo, saber que todos somos distintos no es lo mismo que demostrarlo. Cuando los investigadores quieren identificar a un delincuente o a una víctima, deben encontrar todas las particularidades de esa persona que la hacen distinta de las otras.

La forma más segura de hacerlo es a través del análisis del ADN: un estudio del «plan maestro» biológico del cuerpo humano. Pero este análisis es lento y costoso. Comparar un rostro con una fotografía es quizá lo más sencillo, pero poco fiable. Las huellas dactilares son una prueba de identidad tan precisa que incluso puede demostrar que dos gemelos «idénticos» son personas distintas.

Restos de sangre

Tanto la sangre que corre por nuestras venas como la que se recoge en un charco puede revelar a los investigadores quiénes somos o quiénes éramos cuando vivíamos. La sangre y otros fluidos corporales, como la saliva, son tan importantes para la ciencia forense que su estudio tiene nombre propio: *serología*. Los serólogos han desarrollado diversas pruebas de identidad. Las de ADN son las más recientes, pero otras llevan siglos realizándose.

Distintos grupos sanguíneos

La sangre es nuestro fluido vital: si perdemos demasiada, podemos morir. Los médicos lo saben desde hace siglos, pero al intentar completar la sangre perdida con sangre de una persona sana, a menudo, los pacientes morían. El biólogo Karl Landsteiner (1868-1943) descubrió por qué: las personas tienen distintos tipos de sangre. La mayoría de nosotros la tenemos de uno de estos cuatro grupos: A, B, AB u 0.

Análisis de sangre

En 1902, Landsteiner ayudó a diseñar una prueba para determinar el tipo de sangre de las manchas de sangre. Este análisis revelaba el grupo al que pertenecía una mancha, por lo que propuso a los investigadores que la usaran en el esclarecimiento de crímenes. Por ejemplo, podían analizar las manchas de sangre encontradas en la ropa de un sospechoso de asesinato y comparar los resultados con los del análisis de la sangre de la víctima. La coincidencia de ambos ayudaría a demostrar la culpabilidad del sospechoso.

Sin embargo, dado que de cada diez personas apenas cuatro tienen sangre del grupo A y cinco la tienen del grupo 0, el análisis no constituía una forma muy precisa de probar la culpabilidad de un sospechoso, aunque sí resultaba útil para demostrar su inocencia. Si la sangre encontrada en la ropa no coincidía con la de la víctima, la policía podía estar segura de que el sospechoso no había cometido el delito. Hoy en día, cuando los

◄ En los análisis de sangre ABO se usan dos soluciones de anticuerpos. La solución anti-A hace que las células de la sangre de grupo A se amontonen. Las células de la sangre de grupo B se amontonan con la solución anti-B; las del grupo AB, con ambas soluciones, y las del 0, con ninguna.

▲ Nuestro cuerpo contiene cinco o seis litros de sangre, pero, para identificar a un sospechoso, un serólogo solo necesita una cuarenta millonésima parte de una gota (en la imagen, enormemente ampliada).

investigadores encuentran sangre en el escenario de un crimen, siguen utilizando el mismo análisis de grupo sanguíneo ABO para eliminar sospechosos. No obstante, antes de hacer este análisis, llevan a cabo otras pruebas más sencillas.

► Para analizar la sangre, los técnicos usan instrumentos impecablemente limpios a fin de extraer con cuidado la mancha. Después, la humedecen con agua salada para crear una muestra líquida que puedan analizar.

¿Es realmente sangre?

La primera de estas pruebas es lo que los técnicos forenses llaman *análisis de sangre presuntivo*. Revela si una mancha es o no de sangre. Aunque parezca una tontería, no lo es: la sangre no siempre es fácil de reconocer, y es posible confundirla con otras sustancias.

Pulverizadores reveladores

Los pulverizadores de luminol y fluorescina (pág. 20) que usan los investigadores para detectar manchas de sangre constituyen test presuntivos, pero pueden utilizarse muchos otros. El más sencillo de todos son los Hemastix, unas tiras con un pro-ducto químico de análisis en el extremo. Los investigadores del escenario del crimen humedecen la tira y frotan la mancha con ella. Si es sangre, la punta de la tira Hemastix, que es amarilla, se vuelve verde.

¿Sangre o tomate?

Aunque estas pruebas son de gran ayuda para los técnicos policiales que buscan sangre en el escenario del crimen, no proporcionan todas las respuestas. El rábano picante, por ejemplo, contiene compuestos químicos similares a la sangre, por lo que una mancha que pase una prueba presuntiva puede terminar siendo el resto de una barbacoa.

► Los técnicos de un laboratorio serológico preparan muestras para su análisis. Una de las primeras comprobaciones que efectúan es la de si la sangre es humana. Para esto, usan la prueba de precipitina. Introducida en un tubo de ensayo o colada por un trozo de gel pegajoso por la fuerza de una corriente eléctrica, la muestra forma una línea clara en el punto en el que entra en contacto con el compuesto químico de prueba.

Análisis de ADN

La policía detiene a un carterista y le toma una muestra de ADN de la boca. Aunque el ladrón no había sido detenido antes, descubren que su ADN coincide con el del escenario de un asesinato brutal no resuelto cometido hace años. En el interrogatorio, el ladrón se derrumba y admite su culpabilidad. Parece el sueño de un detective, pero ya ha sucedido. El análisis de ADN, desde 1984, se ha convertido en un arma fundamental en la lucha contra el crimen.

▲ Los gemelos idénticos no solo se parecen, en realidad, son exactamente iguales, hasta el último gen. Un análisis de ADN no permite diferenciarlos, pero sí distinguir a hermanos normales.

Genes y ADN

Dentro de las células de nuestro cuerpo hay una diminuta cadena trenzada de proteínas llamada *ADN* (ácido deso-xirribonucleico). Parte de nuestro ADN, al que llamamos *genes*, procede de nuestros padres, por eso nos parecemos a ellos. El resto lo forman patrones regulares de proteínas. También estas proceden de nuestros padres, pero el número de veces que se repiten es único en cada persona. Como nuestro ADN es único, pero similar al de nuestros parientes, su análisis es muy útil para la identificación de personas.

Extracción del ADN

Si los investigadores del escenario de un crimen encuentran una mancha de sangre o un esputo, el laboratorio criminalístico puede extraer el ADN de ellos. La comparación del ADN extraído con el del sujeto permite confirmar si se encuentra implicado o no en el crimen, o incluso si lo están su madre o su hijo. Para realizar esta comparación, el laboratorio, primero, extrae el ADN y después lo mezcla con compuestos químicos especiales que multiplican las cadenas hasta tener material suficiente para el análisis.

Obtención de resultados

Los técnicos marcan cada segmento repetido con una tinta y aceleran las cadenas por un tubo estrecho. Un sensor situado en el extremo del tubo identifica cada cadena de color y transmite los datos a un ordenador. El resultado forma un perfil de ADN o «huella» que determina de dónde procede la muestra. Después comparan los resultados con la muestra de ADN del sospechoso. Si no hay sospechoso, los detectives buscan una coincidencia en el archivo informático que contiene los perfiles de ADN de delincuentes conocidos.

◄ En el escenario del crimen, los investigadores recogen muestras biológicas con la ayuda de bastoncillos de algodón. Una vez almacenado en un tubo perfectamente limpio, que a menudo contiene un conservante, el bastoncillo de algodón se guarda en frío para garantizar que el ADN de la muestra no se deteriore antes de su análisis.

Identificación de un muerto

Cuando un tsunami arrasó el sudeste asiático el 26 de diciembre de 2004, murieron varios centenares de miles de personas. Las olas inmensas se llevaron por delante las ropas y las pertenencias que habrían podido servir para identificar a las víctimas. En unos días, los cadáveres estaban tan hinchados por el calor tropical que ni siquiera los parientes próximos podían reconocerlos. Los gobiernos de los distintos países afectados recurrieron a las pruebas de ADN para identificar a los muertos. Tomaron muestras de los cuerpos de las víctimas y de los supervivientes que habían perdido algún familiar en la tragedia. La comparación de los perfiles de ADN permitió a muchas familias enterrar a sus parientes fallecidos.

¿Prueba perfecta?

Los investigadores no solo usan el ADN para probar la culpabilidad de un sospechoso, sino también para identificar cuerpos que han quedado irreconocibles. Las pruebas de ADN también son muy precisas: solo una cuarenta millonésima parte de una gota puede producir resultados.

No obstante, las pruebas de ADN no son infalibles. Las muestras pueden contaminarse con ADN de otras fuentes y confundir el resultado. En las poblaciones pequeñas donde todos los habitantes guardan algún parentesco, el ADN es muy similar y los perfiles de ADN no resultan una forma tan fiable para demostrar la culpabilidad.

▶ Los serólogos, que trabajan con muestras diminutas de fluidos corporales, mezclan el ADN de un sospechoso o el obtenido en el escenario del crimen con un «amplificador» químico. En un proceso de réplica conocido como *PCR* (*polymerase chain reaction*, reacción en cadena de la polimerasa), el compuesto químico aumenta la cantidad de ADN de la muestra hasta que hay suficiente para analizarlo.

Dientes y huesos

¿Cómo se identifican los huesos? El cráneo y el esqueleto es a menudo lo único que queda de cuerpo cuando el fuego o los animales han devorado el resto. Averiguar quién era la víctima es labor del antropólogo forense. Sirviéndose de los dientes y los huesos como pistas, puede determinar sexo, edad, altura y raza del individuo. El odontólogo forense incluso puede dar nombre a un cráneo si le es posible comparar los dientes con los registros dentales.

▼ El molde que el odontólogo prepara para encajar una pieza postiza es para el antropólogo forense una herramienta ideal para la identificación de cuerpos podridos o quemados. Normalmente, usan registros dentales o placas radiográficas, o, si estos no existieran, descripciones de amigos y familiares.

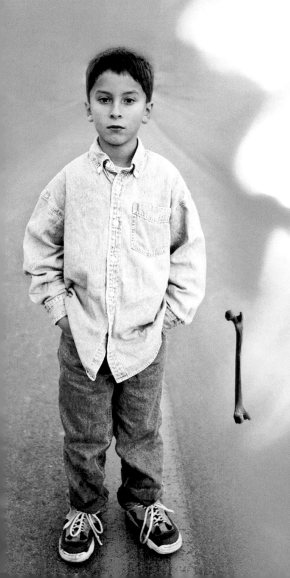

▼ Al montar un esqueleto, el antropólogo puede calcular la altura en vida de la víctima de un crimen. Cuando faltan huesos, la pieza que más datos puede proporcionarnos sobre la altura es el fémur (el hueso del muslo). Por lo general, la altura de una persona es 3¾ el tamaño de este hueso.

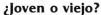

Huesos blanqueados o ennegrecidos

El cuerpo humano no dura eternamente. Con buen tiempo, los animales y las bacterias tardan solo un mes en devorar hasta la última miga de carne de un cadáver al aire libre. El fuego tarda aún menos en emborronar la identidad: un fuego intenso puede reducir un cuerpo a los huesos en una hora o menos. Para un profano, un esqueleto es poco más que un signo horripilante de muerte. Sin embargo, para un antropólogo forense, los esqueletos son libros abiertos llenos de información sobre los vivos.

¿Joven o viejo?

Para calcular la edad, los antropólogos estudian el desarrollo de los dientes y los huesos. Los primeros dientes de un niño suelen aparecer hacia los seis meses, y los últimos, hacia los trece años. En los adolescentes y los adultos, el crecimiento de los huesos es más ilustrativo. Al nacer, los huesos son blandos y abiertos; se endurecen y cierran (compactan) en un orden predecible. Los huesos grandes, por ejemplo, tienen terminaciones abiertas hasta los trece años. La clavícula es el último en cerrar, aproximadamente a los veintiocho años. En las personas mayores, los antropólogos estudian también la forma de las terminaciones de las costillas, que se ahuecan y afilan con el paso de los años. El deterioro de las articulaciones y los dientes también es de gran ayuda para determinar la edad de un esqueleto.

▶ En el escenario de un incendio de gran magnitud u otra catástrofe similar, el odontólogo forense registra la dentadura de los cadáveres con la ayuda de una máquina de rayos X portátil. Las placas revelan los huecos (manchas oscuras) y los empastes (manchas claras). La coincidencia de los registros dentales permite identificar a las víctimas.

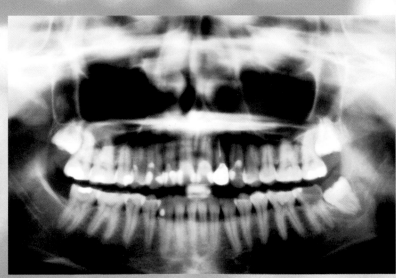

► La pelvis de una mujer debe ser suficientemente ancha para que pase la cabeza de un bebé durante el parto. La cadera de los hombres es mucho más estrecha. El tamaño diferente de estos huesos facilita la determinación del sexo de un esqueleto.

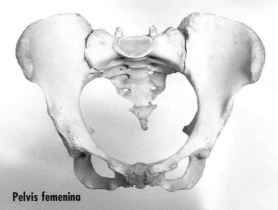

Pelvis femenina

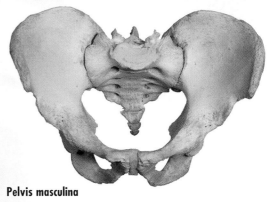

Pelvis masculina

Marcas en el esqueleto

Un antropólogo cualificado puede averiguar muchas más cosas a partir de un esqueleto. Por los puntos en que los músculos se insertan en los huesos, puede determinar lo fuerte que era la persona. Los patrones claros de deterioro pueden ofrecer pistas sobre el trabajo que desarrollaba la persona. Las lesiones y algunas enfermedades también dejan marcas reconocibles en el esqueleto.

¿Hombre o mujer?

El examen de la forma de los huesos en lugar de su tamaño permite averiguar el sexo de la víctima. La pelvis es el más revelador en este aspecto, porque la cadera de las mujeres es mucho más ancha que la de los hombres.

Examen del cráneo

Las pistas que pueden encontrarse en el cráneo son menos ilustrativas. Por ejemplo, su forma puede proporcionar datos sobre la raza o la procedencia étnica del muerto. Las personas de raza blanca tienen el cráneo redondo y la mandíbula directamente debajo de las cejas; los individuos con ancestros africanos tienen el cráneo más ovalado y rostros de mandíbula más saliente.

Con la boca bien abierta

Los dientes son la parte del cuerpo que más tarda en pudrirse o quemarse, por lo que un cráneo, o simplemente una mandíbula, puede ser suficiente para identificar un cuerpo. El odontólogo forense busca empastes, puentes, fundas o piezas perdidas, o contrasta la información obtenida con las placas dentales. Este método de identificación resulta muy valioso en incendios o accidentes de tráfico en que el antropólogo trata de buscar coincidencias entre los cuerpos carbonizados y una lista de víctimas conocidas.

▼ La medición del cráneo puede ayudar al antropólogo a determinar si la víctima era negra, blanca o asiática. La altura del cráneo también es importante. Junto con la longitud de los huesos de la espalda, la cadera, la pierna y los dedos de los pies, puede ayudar a calcular la altura que tenía la persona muerta.

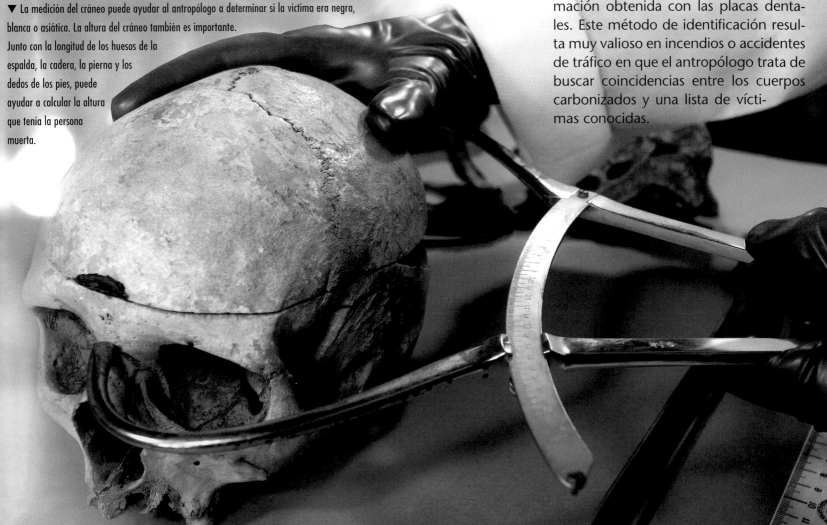

Fisonomía forense

Sin carne ni ojos ni pelo, un cráneo no da pistas del aspecto, la personalidad y el carácter de un rostro que un día sonrió. Pero los huesos del cráneo son los cimientos de la cara. Los escultores forenses y los artistas informáticos pueden reconstruir el rostro de un muerto recubriendo el cráneo de arcilla o con la ayuda de programas informáticos. Las imágenes que generan permiten a los testigos identificar a las víctimas de un asesinato.

Empieza la reconstrucción

Los intentos de reconstruir rostros a partir de cráneos empezaron en Alemania en la década de 1880. Los anatomistas (científicos que estudian el cuerpo humano) utilizaban agujas y cuchillos para medir la profundidad de la carne en el rostro de los cadáveres. Con este conocimiento, eran capaces de dar a la arcilla el grosor adecuado en los moldes de cráneos para poder crear una cierta semejanza. Este método de reconstrucción siguió usándose durante más de un siglo hasta que la tecnología informática hizo posible la recreación de los rostros con mayor precisión.

Escaneado tridimensional

Con la ayuda de un escáner tridimensional, puede registrarse la posición y la forma de todos los huesos. El resultado es un modelo 3D que puede verse desde cualquier ángulo. En la actualidad, la información sobre el grosor de los músculos, las capas de grasa y las de piel del rostro no procede de cadáveres, sino de personas vivas. Los escaneados de tomografía computariza-

da (TC) generan imágenes tridimensionales tanto de los huesos como de los tejidos blandos y de los músculos. Esto hace posible la medición de la profundidad de la carne sin necesidad de usar agujas o cuchillos, que no solo es más seguro y menos doloroso, sino que además proporciona resultados más precisos que la medición de cadáveres. Tras la muerte, los músculos se relajan y el rostro se queda flácido.

Fusión y emparejamiento

Los técnicos fusionan el escaneado de un cráneo no identificado con el escaneado digital de una persona de igual edad, sexo y raza. Después, «deforman» el cráneo del escaneado digital, estirándolo o

◄ El modelado por ordenador aplica capas de tejido virtual al escaneado de un cráneo. Cuando el modelo está completo, resulta fácil hacer que el rostro parezca más gordo o más delgado, más viejo o más joven.

▲ Al igual que una reconstrucción facial crea un rostro a partir de un cráneo, el retrato robot genera una semejanza física con el sujeto vivo. Al crear como un puzle con las partes del rostro, los testigos pueden reconstruir las imágenes de sospechosos o desaparecidos.

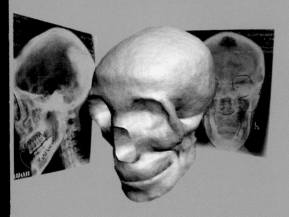

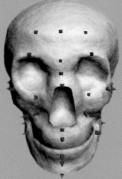

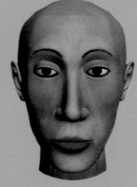

▲ Para reconstruir un rostro, se realizan placas radiográficas del cráneo y se crea una réplica con la misma forma.

▲ Después se colocan chinchetas en los puntos clave de inserción de los músculos.

▲ A continuación se añaden los músculos en los lugares correspondientes del cráneo.

▲ Por último se añaden los cartílagos, la piel y los ojos.

◄ La reconstrucción de rostros a partir de un cráneo se basa en datos científicos y años de experiencia. Los huesos del rostro no proporcionan pistas sobre la forma de los labios, las orejas, los ojos y la nariz, por lo que los artistas forenses deben imaginar el aspecto que tenían estos rasgos.

encogiéndolo, hasta que los dos cráneos virtuales son del mismo tamaño. La deformación del cráneo digital genera, además, una simulación precisa de las capas de tejido en el cráneo de la persona muerta. El resultado es una vista virtual del rostro como si fuera de escayola. Después, los técnicos le añaden color y textura con la ayuda de un «mapa de color», que es una fotografía de alguien que los investigadores creen que se parece al sujeto cuyo rostro intentan reproducir. Al igual que el escaneado digital, la textura envuelve la superficie del modelo.

una vista desde un solo ángulo o desde múltiples ángulos. Con esto se consigue un retrato corriente de realismo fotográfico o un busto virtual que los testigos o los familiares pueden ver en pantalla desde cualquier ángulo.

▶ Una vez reconstruido un rostro, los técnicos hacen un molde de escayola a partir del modelo de arcilla. La escayola es blanca, por lo que, para que resulte más real, artistas cualificados pintan con cuidado la superficie.

Toques finales

Después, el ordenador calcula el aspecto de todos los puntos del rostro y crea

▲ Cuando se realizan reconstrucciones informatizadas de rostros, los técnicos pueden añadir gafas, pelo, barbas y bigotes con la ayuda de un menú. Sin estas pistas, a menudo resulta difícil reconocer incluso el rostro de parientes próximos o amigos íntimos.

Cotejo de huellas

Un registro de las huellas de todos los delincuentes es una forma excelente de identificar sospechosos. Pero una colección de huellas es inútil a menos que los técnicos policiales puedan realizar fácilmente búsquedas de huellas que coincidan con las halladas en el escenario del crimen. Hoy, a las bases de datos les cuesta dos segundos comparar una huella hallada en el escenario del crimen con millones de registros criminales.

▼ Los sistemas de clasificación de huellas registran los puntos en que las crestas se bifurcan o terminan (marcados en la imagen). Los especialistas en dactiloscopia tienen la certeza de haber identificado a un sospechoso si una docena de estos puntos particulares del dactilograma coincide con una huella del escenario del crimen.

Avances en el análisis de huellas

Cuando un hospital de Tokio (Japón) fue víctima de un robo con allanamiento, en 1879, la policía estaba segura de saber quién era el responsable. Pero el acusado se libró de la condena gracias a un amigo, Henry Faulds (1843-1930). Al visitar el escenario del crimen, detectó una huella sucia que el ladrón había dejado en la pared. Faulds hizo ver a la policía que ninguno de los dibujos de las huellas dactilares de su amigo coincidía con los de las huellas del delincuente. Fue la primera vez que se usaron las huellas dactilares para resolver un caso policial.

Clasificación de huellas dactilares

Para que la búsqueda resulte práctica, los detectives dividen las huellas según sus formas básicas: crestas, surcos y bifurcaciones (véase la imagen). Después, cada

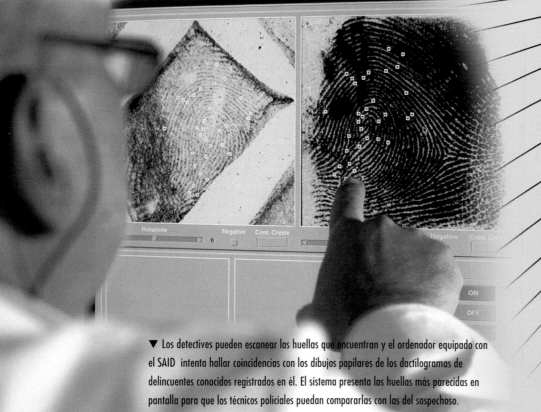

▼ Los detectives pueden escanear las huellas que encuentran y el ordenador equipado con el SAID intenta hallar coincidencias con los dibujos papilares de los dactilogramas de delincuentes conocidos registrados en él. El sistema presenta las huellas más parecidas en pantalla para que los técnicos policiales puedan compararlas con las del sospechoso.

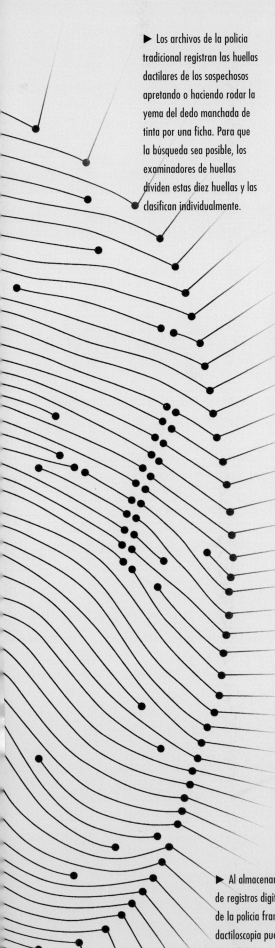

► Los archivos de la policía tradicional registran las huellas dactilares de los sospechosos apretando o haciendo rodar la yema del dedo manchada de tinta por una ficha. Para que la búsqueda sea posible, los examinadores de huellas dividen estas diez huellas y las clasifican individualmente.

grupo se subdivide según el número de crestas, su dirección y otros detalles.

Esta clasificación de las huellas dactilares conlleva la reducción del número de posibles coincidencias de miles a decenas; así la búsqueda de huellas resulta más práctica, al igual que el orden alfabético de un diccionario nos permite encontrar una palabra rápidamente.

Búsquedas informatizadas

Los sistemas informáticos actuales realizan buena parte de la búsqueda. Los investigadores escanean las manos de los delincuentes convictos y los ordenadores se encargan de analizar y codificar los detalles de cada huella, es decir, las características distintivas, como los puntos

► Al almacenar las huellas dactilares en forma de registros digitales o dactilogramas, como este de la policía francesa, los expertos en dactiloscopia pueden realizar búsquedas entre un millón de registros en menos de un segundo.

en los que las crestas se ramifican, se bifurcan o terminan. Cuando los detectives encuentran una huella en el escenario del crimen, pueden escanearla, y el ordenador busca la coincidencia de sus detalles con las huellas de archivo. El sistema presenta a los detectives las más parecidas para que puedan realizar la comparación final.

Los sistemas automáticos de identificación dactilar (SAID) de la policía científica buscan entre un millón de registros de huellas dactilares en menos de un segundo. El sistema que se usa actualmente en Estados Unidos contiene más de cuarenta millones de huellas, a las que se añaden cada día unas setecientas.

La captura de Ramirez

En 1985 los habitantes de Los Ángeles (Estados Unidos) se sentían aterrados por un asesino en serie que rondaba la ciudad. En agosto, un hombre al que había disparado sobrevivió y describió el coche del asesino. La policía lo encontró y buscó huellas en él. Solo encontraron una, pero, con la ayuda del sistema automático de identificación dactilar de la ciudad, averiguaron que pertenecía a Richard Ramirez. Su fotografía apareció en televisión y lo arrestaron al día siguiente. En el juicio, que se celebró en 1988, lo encontraron culpable de trece asesinatos y lo condenaron a muerte.

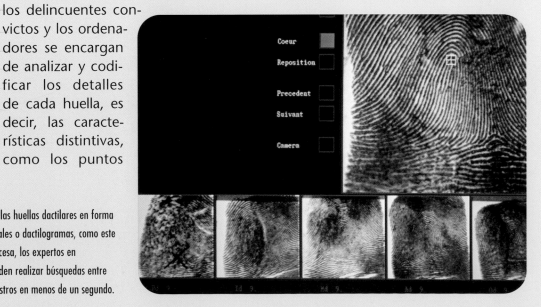

Delincuente desconocido

Cuando no hay un culpable claro de un delito, los investigadores empiezan a eliminar gente de sus interrogatorios. Al excluir a todos los que no es probable que hayan cometido el delito, reducen su investigación a unas cuantas personas que podrían ser culpables. Si incluso este planteamiento falla, recurren al perfil del agresor, un método de identificación de delincuentes que consiste en analizar su modus operandi.

▶ En la sala de incidencias de la comisaría, los agentes señalan en un mapa mural los puntos en los que ha sido visto al sospechoso. Todas las llamadas telefónicas o avistamientos de vehículos se registran para construir una imagen de dónde ha estado el sospechoso. Esto les permite reducir la zona de búsqueda.

◀ Cuando un delincuente sale corriendo del escenario del crimen, es posible que los testigos no vean lo suficiente como para poder ofrecer una descripción completa de él. No obstante, cualquier detalle, por pequeño que sea, sobre peso, edad y aptitud física puede ayudar a la policía a construir un perfil del sospechoso.

Captura de un asesino

Una mujer es abatida a tiros en una calle muy concurrida de una ciudad. Los testigos que oyen los disparos ven salir corriendo del escenario a un hombre joven, que se mete en un coche y se aleja a toda velocidad. Las pruebas halladas en el escenario del crimen dicen poco a los investigadores. ¿Cómo encuentran al asesino?

Al comienzo de la investigación, todo el mundo es potencialmente sospechoso. La policía debe eliminar grupos completos de personas para reducir su búsqueda. Empiezan por el sexo del atacante. La mitad de la población es femenina, con lo que ya reducen el número de sospechosos al cincuenta por ciento. Como el asesino era un hombre joven, la policía puede descartar a cualquiera que tenga menos de dieciséis años o más de cuarenta. Salió corriendo a toda velocidad, así que el delincuente está razonablemente en forma. Los detectives también pueden descartar a las personas que no saben conducir, porque huyó en un coche.

Perfiles de agresores

Los forenses han procurado mejorar este planteamiento tradicional analizando el tipo de persona que comete el delito. A partir de las pocas pistas con que cuentan, intentan construir un perfil (una forma o patrón) del aspecto probable del delincuente.

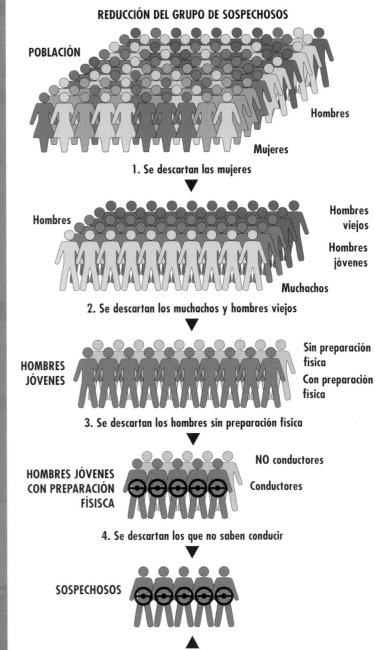

REDUCCIÓN DEL GRUPO DE SOSPECHOSOS

POBLACIÓN

Hombres

Mujeres

1. Se descartan las mujeres

Hombres

Hombres viejos

Hombres jóvenes

Muchachos

2. Se descartan los muchachos y hombres viejos

HOMBRES JÓVENES

Sin preparación física

Con preparación física

3. Se descartan los hombres sin preparación física

HOMBRES JÓVENES CON PREPARACIÓN FÍSISCA

NO conductores

Conductores

4. Se descartan los que no saben conducir

SOSPECHOSOS

5. Conductores varones, jóvenes y en buena forma física

El hombre bomba de Nueva York

Uno de los primeros casos de perfiles condujo al arresto del hombre bomba de Nueva York, que puso treinta bombas en la ciudad en dieciséis años. En 1957, después de varios fracasos, los detectives recurrieron al psiquiatra James Brussel.

Brussel les dijo que el delincuente era un hombre, porque las mujeres rara vez usan bombas. Enviaba bombas y amenazas a Con. Edison, la compañía eléctrica de la ciudad, con lo que quizá fuera un antiguo empleado y la odiara por alguna razón. Su trabajo manual en las bombas denotaba que era limpio y cuidadoso. El lenguaje culto de sus cartas sugería que se trataba de un extranjero, probablemente de Europa del Este, porque los habitantes de esta región habían usado las bombas en el pasado. Brussel predijo incluso que, al arrestarlo, el delincuente llevaría un traje de chaqueta anticuado, abotonado.

Con estos datos, una de las secretarias de Con. Edison encontró el expediente de un hombre que había sufrido una lesión hacía unos años. Encajaba con la descripción del psiquiatra y, cuando la policía irrumpió en su domicilio, ¡lo encontraron vestido con un traje de chaqueta abotonado!

▶ La identificación de un sospechoso suele ser un proceso de eliminación. El sexo, la edad, la aptitud física y las habilidades personales pueden ayudar a la policía a destacar a un delincuente de entre un grupo social. Mediante la eliminación de grandes secciones de la población con la ayuda de los interrogatorios, la policía puede centrar sus recursos en las secciones restantes y así localizar al sospechoso.

▶ Los interrogatorios a domicilio (como el de la policía francesa que vemos en la imagen) permiten a los investigadores identificar a los delincuentes. La policía realiza preguntas estándar a todos los cabezas de familia de cada vivienda para generar una imagen de la comunidad social y averiguar si el sospechoso es conocido en ella.

Prueba de culpabilidad

«Es él. Lo vi con mis ojos.» Este tipo de declaraciones nos persuaden de la culpabilidad de un sospechoso, pero ¿podemos fiarnos de ellas? Los estudios demuestran que a los testigos les resulta difícil señalar a los malhechores en los careos y álbumes de fotos de delincuentes fichados. Las imágenes borrosas de las cámaras de seguridad lo dificultan aún más. Otras herramientas de ayuda, como los detectores de mentiras, resultan ser testigos igualmente poco fiables.

Nunca olvido una cara

Confiamos en la memoria, sobre todo al recordar una experiencia tan dramática como un crimen. Sin embargo, identificar a alguien a quien hemos visto solo un instante, quizá hace semanas, es más difícil de lo que parece. En un careo, el sospechoso está de pie en una fila de personas de aspecto similar. Sin que estas personas los vean, se pide al testigo que señale a la persona que vio. Algunos aciertan, pero lo más normal es que la identificación sea errónea.

Dar la cara

Los álbumes de delincuentes fichados tampoco tienen un récord de aciertos mayor. Se pide a los testigos que examinen las fotos de delincuentes convictos que coincidan con la descripción dada a la policía. La persona seleccionada por el testigo puede convertirse entonces en un sospechoso, aunque no exista ninguna otra prueba en su contra.

▶ Las cámaras de vigilancia pueden grabar a los habitantes de una ciudad en sus quehaceres cotidianos. De esta forma, la policía puede saber si un sospechoso se encontraba en la zona en que se cometió un delito.

◀ La policía utiliza a menudo las grabaciones de las cámaras de vigilancia como pruebas, porque pueden demostrar si un sujeto cuya descripción coincide con la del sospechoso ha tomado parte en el delito.

Retratos robot

La policía también usa retratos robot. El testigo describe a la persona a la que vio cometer el delito y el agente compone una imagen del rostro del sospechoso con la ayuda de un menú de fotografías de bocas, ojos, orejas, barbillas, narices y peinados. Después los agentes usan el retrato robot para buscar al sospechoso. A veces, el retrato robot se publica en la prensa para que los ciudadanos puedan participar en la búsqueda.

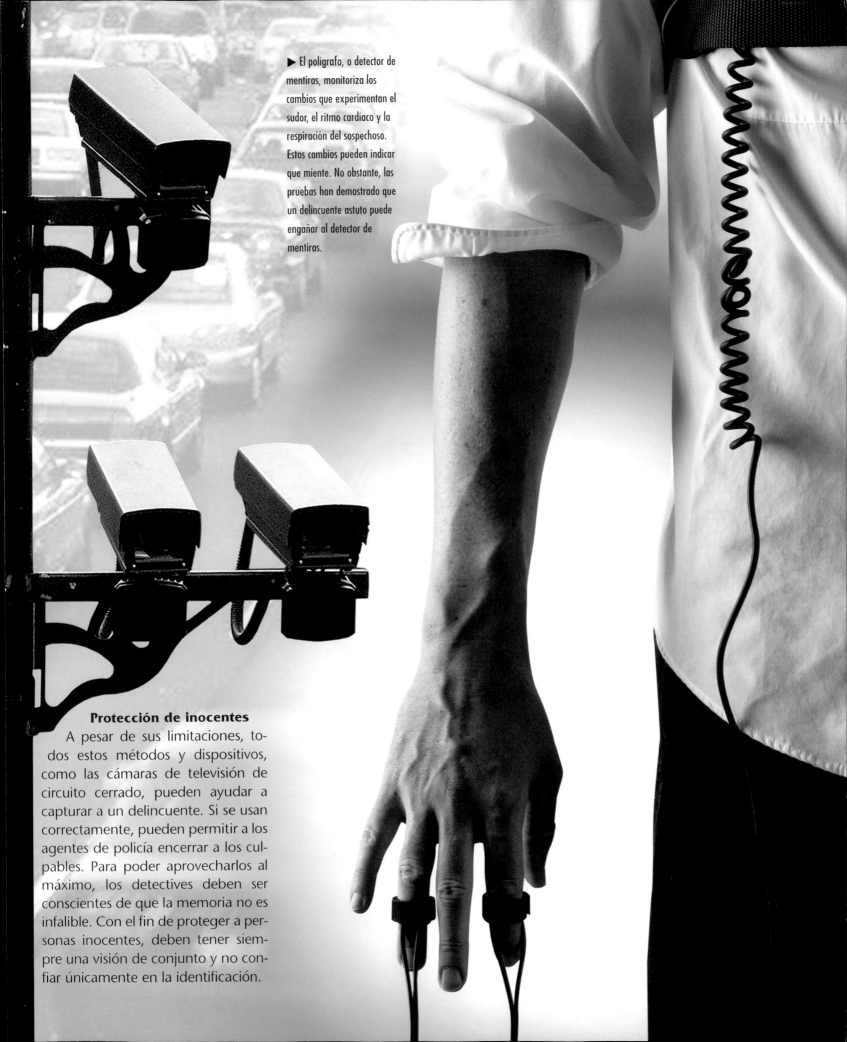

▶ El polígrafo, o detector de mentiras, monitoriza los cambios que experimentan el sudor, el ritmo cardíaco y la respiración del sospechoso. Estos cambios pueden indicar que miente. No obstante, las pruebas han demostrado que un delincuente astuto puede engañar al detector de mentiras.

Protección de inocentes

A pesar de sus limitaciones, todos estos métodos y dispositivos, como las cámaras de televisión de circuito cerrado, pueden ayudar a capturar a un delincuente. Si se usan correctamente, pueden permitir a los agentes de policía encerrar a los culpables. Para poder aprovecharlos al máximo, los detectives deben ser conscientes de que la memoria no es infalible. Con el fin de proteger a personas inocentes, deben tener siempre una visión de conjunto y no confiar únicamente en la identificación.

RESUMEN DEL CAPÍTULO 2: IDENTIFICACIÓN DE VÍCTIMAS

Identificación del delincuente y de la víctima

Buena parte del trabajo del investigador está relacionado con la identificación. ¿Quién ha cometido el delito? ¿De quién es el cuerpo encontrado? El análisis de sangre ABO puede ayudar a encontrar una respuesta. Revela a cuál de los cuatro grupos pertenece la sangre de un sujeto. Si la sangre del escenario de un crimen no es del mismo grupo que la del sospechoso, la policía sabrá que ha arrestado a la persona equivocada.

Las pruebas de ADN son una forma fiable de comprobar la identidad. Los forenses extraen el ADN de la sangre o de muestras de tejidos. El análisis presenta una cadena de números única de cada persona. La coincidencia de los números de la muestra tomada en el escenario del crimen y los de un sospechoso aumenta enormemente la posibilidad de que este cometiera el delito.

Otros métodos bastante comunes de identificación de personas son, sin embargo, muy poco fiables: los testigos cometen errores cuando examinan los rostros de los sospechosos en los álbumes de delincuentes fichados o en las rondas de identificación.

Delitos sin sospechosos

Cuando no hay testigos ni muestras de sangre ni fotos, la identificación de un sospechoso resulta muy compleja para la policía. Los investigadores empiezan por eliminar a los sujetos cuya presencia en el escenario del crimen sea poco probable. En ocasiones se sirven de la creación de perfiles de agresores, tomando como punto de partida lo que saben del delito para averiguar qué tipo de persona puede haberlo cometido.

También las huellas dactilares conducen a los técnicos policiales a un sospechoso desconocido. Si encuentran huellas en el escenario de un crimen, buscan una coincidencia en sus archivos de delincuentes ya fichados. A medida que estos archivos se engrosan, las búsquedas se ralentizan, pero hoy en día los ordenadores aceleran notablemente el proceso.

Los investigadores no pueden usar las huellas para identificar a víctimas que lleven mucho tiempo muertas o que estén quemadas. En su lugar, examinan el tamaño y la forma de los huesos y los dientes. Estos les proporcionan pistas sobre la edad, el peso, el sexo y la raza del sujeto. Los dientes pueden indicar a los detectives exactamente de quién se trata, pero solo si disponen de registros dentales de la víctima. En caso contrario, los antropólogos forenses usan el cráneo de las víctimas para recrear sus rostros. Con arcilla o con programas informáticos, generan una semejanza física, si bien deben imaginar las orejas, los ojos, los labios y la nariz.

Profundiza...

Sobre temas de investigación científica forense y policial, puedes visitar la página oficial de la Dirección General de la Policía y a su Policía Científica en http://www.policia.es/cgpc/index.htm.

Para saber más sobre identificación de cuerpos, a través del análisis del ADN —partiendo de sus pertenencias, estudios antropológicos, odontológicos y radiográficos—, puedes visitar la página oficial de la Guardia Civil y su programa Fenix, que dasarrolla toda la investigación científico-forense mencionada, en http://www.guardiacivil.org/prensa/actividades/fenix/index.jsp.

Antropólogo forense
Estudia los restos humanos para calcular la edad, el sexo, la altura y otros datos que contribuyen a la identificación del cuerpo.

Entomólogo forense
Investiga la actividad de los insectos relacionados con un crimen y utiliza su conocimiento de sus ciclos vitales para averiguar la fecha y hora de la muerte.

Patólogo forense
Estudia los cuerpos de las víctimas por dentro y por fuera. Además, intenta averiguar la causa de la muerte.

Técnico forense
Ayuda a los científicos forenses: prepara las pruebas, los equipos y registra resultados.

Para visitar el mundo de la Policía, encontrarás de todo, desde armas empleadas por criminales hasta el material que necesita un detective para resolver un crimen, en el Museo de la Policía, que se encuentra en el Centro de Formación de la Policía, en la Avenida Juan Carlos I, número 46, de Ávila. Entre sus salas temáticas destacan la que está dedicada al propio Cuerpo Nacional de Policía, la sala del delito y las que exponen armas de fuego y armas blancas.

Capítulo 3

Laboratorio criminalístico

En ocasiones, lo único que hace falta para resolver un crimen es un cabello, una salpicadura de pintura o una gota de sangre, aunque sea muy pequeña para verla sin un microscopio.

Los forenses estudian todo esto, y más, en el laboratorio criminalístico: un centro especializado donde los técnicos pueden analizar y examinar las pruebas encontradas en el escenario del crimen. En los laboratorios peque-

ños, un par de técnicos hacen todo el trabajo. Sin embargo, los laboratorios grandes cuentan con especialistas que se centran en un solo campo de la ciencia forense.

Nuestro recorrido por el laboratorio criminalístico empieza en la sala de autopsias. Allí es donde los examinadores médicos, o patólogos, llevan a cabo un estudio detenido de los cuerpos de las víctimas y de los sujetos que fallecen en circunstancias sospechosas.

Autopsia

La sala de autopsias, con sus baldosines blancos, sus focos intensos y sus camillas resplandecientes, parece un quirófano. Pero quienes empuñan el bisturí no son cirujanos, sino patólogos forenses. En la autopsia, se abre el cuerpo para averiguar qué ha causado la muerte de un sujeto. La autopsia es la parte más detallada de la investigación *post mortem* (posterior a la muerte). Se trata de un estudio exhaustivo que comprende la realización de fotografías y placas radiológicas del cuerpo, así como una inspección completa de su aspecto.

Examen externo

Como cada muerte sospechosa es distinta, no hay dos autopsias que sean exactamente iguales. Sin embargo, la mayoría comienza por la retirada cuidadosa de la ropa del cuerpo y su examen en busca de pruebas. El patólogo pesa el cuerpo y examina con detenimiento su aspecto exterior. Los cortes, las contusiones, las cicatrices y cualquier marca identificativa deben registrarse. Para ello se utiliza una grabadora.

El examen externo y las placas radiológicas orientan al patólogo cuando inicia la disección del cuerpo. Si la causa de la muerte no está clara, lo normal es hacer una autopsia de todo el cuerpo. Siguiendo procedimientos estándar, los patólogos investigan todos los órganos del cuerpo para establecer la causa de la muerte.

Autopsia general

El patólogo inicia la autopsia abriendo la cavidad corporal con bisturís e instrumentos especiales. Un corte recto o en forma de T o Y permite el acceso a los órganos de la parte anterior del cuerpo. El patólogo retira los órganos y anota las lesiones que encuentra en ellos antes de pesarlos individualmente. La extracción de muestras de fluidos y tejidos de cada órgano permite a los toxicólogos (pág. 52) comprobar la presencia de drogas, veneno o alcohol. El cráneo tampoco escapa a su atención: para poder estudiar el cerebro, es necesario realizar una incisión alrededor de los huesos de la cabeza.

En busca de indicios

Los patólogos buscan pequeños rastros que fácilmente pueden pasarse por alto. Por ejemplo, el estrangulamiento no suele producir lesiones obvias en el exterior del cuerpo: los signos reveladores se ocultan bajo la piel. Para asegurarse de que el sujeto ha sido estrangulado, el patólogo debe extraer toda la sangre del cuello y retirar las distintas capas de tejido. Así quedan al descubierto las pequeñas contusiones que confirman el delito. También el apuñalamiento precisa una atención especial para registrar el recorrido del arma por los tejidos.

Notas esenciales

El análisis del patólogo es inútil si no anota lo que encuentra. El informe de la autopsia puede ayudar a confirmar un asesinato disfrazado de suicidio o a excarcelar a un sujeto acusado erróneamente de asesinato al revelar que la víctima murió por causas naturales.

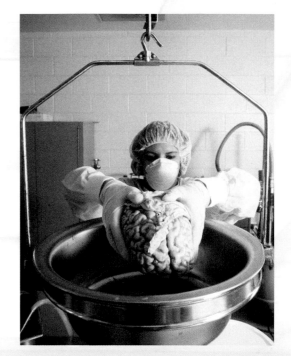

▲ El patólogo pesa los órganos que extrae durante la autopsia. Muchas enfermedades provocan variaciones en el peso de las vísceras, por lo que este dato debe figurar en el informe de la autopsia.

◄ El patólogo no trabaja solo. Un ayudante del depósito de cadáveres levanta el cadáver de la camilla de acero inoxidable y ayuda a ejecutar algunas tareas (como abrir el cráneo con una sierra circular) que no precisan los conocimientos del patólogo.

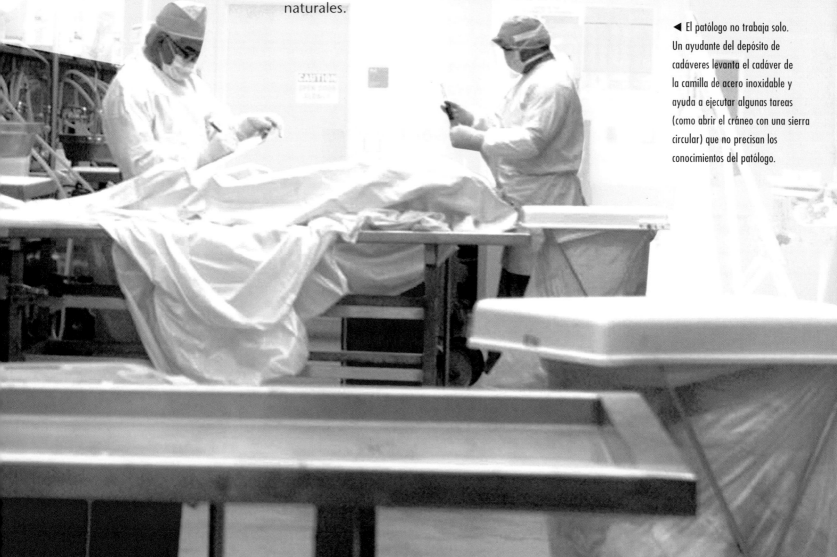

Causa de la muerte

Si los cadáveres pudieran hablar, podrían decirles a los investigadores cómo han muerto. La autopsia no puede dar voz a estos testigos silenciosos, pero sí descubrir algunos de sus secretos. Por los golpes y magulladuras, cortes y quemaduras, el patólogo forense puede reconstruir los últimos momentos de la víctima de un crimen. Junto con las pruebas encontradas en el escenario del crimen y las declaraciones de los testigos, el examen *post mortem* permite diferenciar las muertes naturales de los accidentes, los asesinatos y los suicidios.

Modo de la muerte

La determinación del modo de la muerte es importante porque permite saber si se ha cometido un crimen o no. Si se trata de una muerte natural o un suicidio, la policía posiblemente no tenga nada que investigar. Los patólogos llaman a esta importante decisión *modo de la muerte*, es decir, la forma en que ha muerto la víctima. Las posibilidades son solo cuatro: muerte natural, muerte accidental, suicidio y homicidio (muerte deliberada).

Causa de la muerte

El patólogo busca la causa de la muerte: ¿qué ha puesto fin a la vida del individuo en cuestión?, ¿una lesión, por ejemplo, una herida de arma blanca por la que se ha desangrado? Quizá el corazón se haya parado por electrocución. ¿O tal vez haya sido una enfermedad mortal, como un infarto? La respuesta puede parecer obvia, pero el patólogo debe considerar todas las causas posibles y decidir cuál es la más probable.

¿Suicidio o asesinato?

Por ejemplo, en el chasis quemado de un coche, la policía encuentra el cuerpo carbonizado del propietario. La lata de gasolina vacía y el encendedor que lleva en la mano nos cuentan todo lo demás. El primer paso del patólogo debe ser buscar hollín en los pulmones, porque las personas que mueren carbonizadas respiran humo. Unos pulmones limpios sugerirían que la víctima ya estaba muerta antes de que empezara el fuego, por lo que no se suicidó. Aunque al quemarse un cuerpo se destruyen muchas pistas, un examen más detenido podría revelar la verdadera causa de la muerte. Una fractura en el cráneo, por ejemplo, es la única prueba que se necesita para iniciar la búsqueda de un asesino.

El asesino cauteloso

Con frecuencia, los indicios reveladores de un asesinato no son obvios en absoluto. Es normal que las personas enfermas, delicadas o de edad avanzada mueran por causas naturales, pero el patólogo estudia su rostro muerto muy detenidamente. Una leve contusión alrededor de la boca y la nariz o manchas de sangre del tamaño de alfilerazos bajo la piel del cuello sugieren que la víctima podría haber sido asfixiada con una almohada. Un descubrimiento así podría hacer que la policía buscara a un familiar que fuera a beneficiarse de la muerte de un pariente anciano.

▼ Cuando el patólogo cierra su maletín en el escenario del crimen es muy posible que ya tenga sus sospechas sobre el modo en que ha muerto la víctima. Puede que haya otras pruebas esparcidas por el escenario del crimen, pero su recogida es cosa de los agentes encargados de la inspección ocular técnico-policial. El verdadero trabajo del patólogo empieza cuando analiza el cuerpo en la sala de autopsias. Allí puede encontrar pruebas internas que ni siquiera el fuego puede destruir.

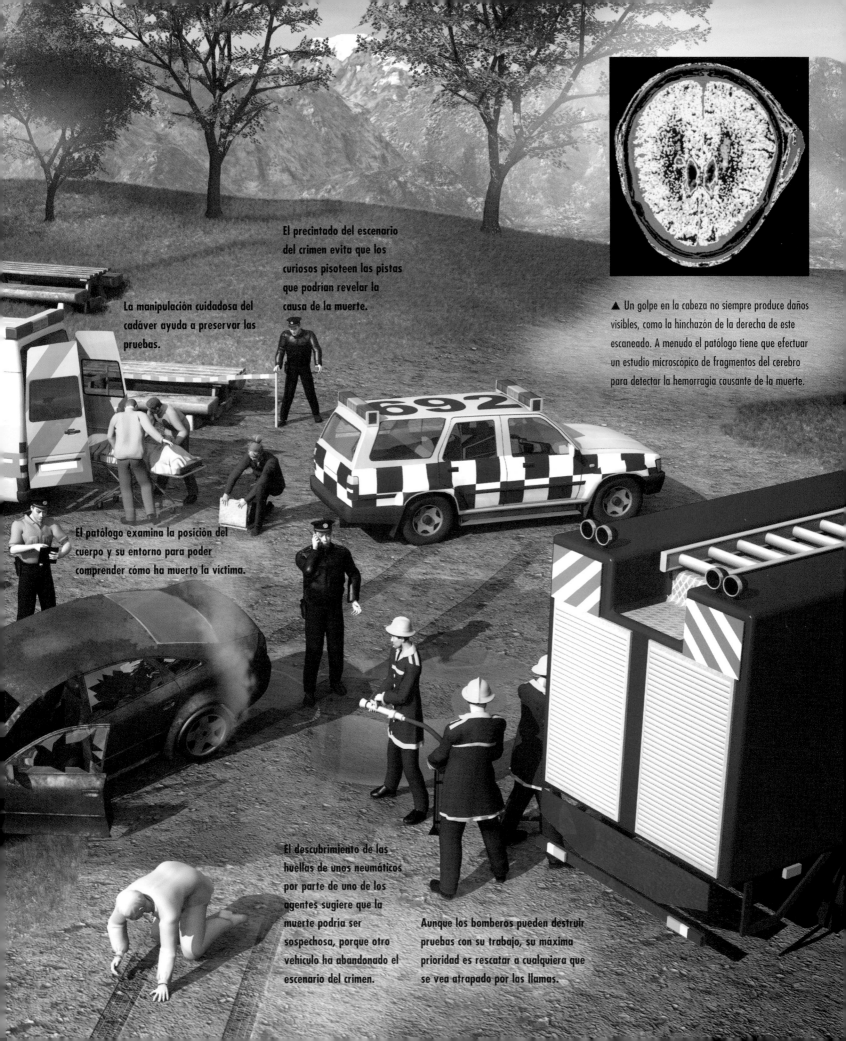

El precintado del escenario del crimen evita que los curiosos pisoteen las pistas que podrían revelar la causa de la muerte.

La manipulación cuidadosa del cadáver ayuda a preservar las pruebas.

▲ Un golpe en la cabeza no siempre produce daños visibles, como la hinchazón de la derecha de este escaneado. A menudo el patólogo tiene que efectuar un estudio microscópico de fragmentos del cerebro para detectar la hemorragia causante de la muerte.

El patólogo examina la posición del cuerpo y su entorno para poder comprender cómo ha muerto la víctima.

El descubrimiento de las huellas de unos neumáticos por parte de uno de los agentes sugiere que la muerte podría ser sospechosa, porque otro vehículo ha abandonado el escenario del crimen.

Aunque los bomberos pueden destruir pruebas con su trabajo, su máxima prioridad es rescatar a cualquiera que se vea atrapado por las llamas.

Polvo

Lana y fibra sintética

Fibras de poliéster

Tejido

Vestigios

Un atacante brutal, apodado *The Fox,* hace un rasguño a su coche en el escenario de un crimen. Deja una mancha de pintura vertical de 115 cm en un árbol. Un estudio microscópico revela que la pintura es de color amarillo. Hay miles de coches con este color, pero los investigadores los rastrean todos. Uno de ellos tiene un arañazo vertical de 115 cm desde el suelo. El propietario confiesa. Estas migajas de pintura, fibras y cristal, llamadas *vestigios,* vinculan el vehículo, a la víctima y el escenario del crimen a una cadena de pruebas.

Intercambio de pruebas

Los ataques perpetrados por *The Fox* en 1984 demuestran la verdad de una afirmación esencial: que todo contacto deja un rastro. Este principio, denominado *Principio de intercambio de Locards* por el detective francés que lo inventó, tiene un significado muy claro: en el escenario de todo crimen, siempre habrá rastros dejados por el delincuente. Además, los delincuentes se llevan consigo rastros recogidos en el escenario del crimen. En otras palabras, se produce un intercambio de rastros.

Recogida y análisis de vestigios

Los vestigios a menudo son demasiado pequeños para que el ojo humano pueda detectarlos, por eso los técnicos policiales los recogen con cinta adhesiva o con un aspirador forense. Después, los estudian bajo el microscopio. Hay cuatro tipos de microscopio.

◄ La forma de una fibra permite a los técnicos identificarla, sin embargo, su forma y color son pistas útiles solo cuando son inusuales. El algodón blanco, por ejemplo, es tan corriente que rara vez sirve para vincular a un sospechoso con un delito. Las fibras de las imágenes aparecen ampliadas miles de veces.

► Un aspirador forense succiona los vestigios y los recoge en un filtro de papel. Al magnificar el filtro con un microscopio, pueden verse hasta las motas más diminutas de polvo.

Los microscopios normales iluminan la prueba por detrás, por lo que solo revelan los detalles de los materiales finos o transparentes. Los microscopios de luz polarizada usan filtros que bloquean la luz. Muchos tipos de pruebas, como el cristal, deshacen el bloqueo, con lo que aparecen brillantes. Los microscopios estereoscópicos cuentan con doble ocular, por lo que las pruebas se ven en tres dimensiones. Los microscopios de comparación facilitan el estudio de dos pruebas similares, lo que permite comprobar si coinciden. Los microscopios de electrones revelan una cantidad asombrosa de detalles en superficies, como escamas de pintura, pelos y fibras.

Pintura delatora

Al colocar un fragmento de pintura bajo el microscopio, puede verse cuántas capas tiene y el color de cada una. La policía puede asociar la pintura de un coche con la marca, el modelo y el año, como en el ejemplo de *The Fox*. La pintura de paredes también puede ofrecer pistas útiles. Por ejemplo, si la policía encuentra un fragmento de pintura adherido a la palanca de un sospechoso, podría compararla con la pintura de una de las ventanas de una casa en la que se ha producido un robo. La coincidencia sugeriría que el sospechoso es el ladrón.

Examen detenido del cristal

Aunque todos los fragmentos de cristal se parecen, un laboratorio forense puede identificar un fragmento diminuto a través de la medición de su capacidad de reflexión de la luz y su densidad (el peso de un fragmento estándar). Estas pruebas podrían, por ejemplo, determinar la coincidencia de un fragmento de cristal hallado en la víctima de un atropello con los faros rotos de un coche. Si los pedazos son suficientemente grandes, su montaje a modo de puzle demostraría la culpabilidad del conductor.

▶ Cuando dos vehículos chocan, cada uno deja restos de pintura en el otro. En la imagen, un investigador retira con cuidado un fragmento de pintura suelto de un coche accidentado. El color de las distintas capas de pintura y el orden en que se encuentren servirán para identificar la marca, el modelo y posiblemente la edad del otro coche implicado en el accidente.

▼ Para un investigador, unas uñas sucias no indican falta de higiene: son una fuente esencial de pruebas. Cuando la víctima de un crimen violento lucha con sus atacantes, es posible que les arranque suficientes células epiteliales para un análisis de ADN (págs. 26 y 27).

Fibras fantásticas

Las fibras naturales, como la lana, el algodón o el lino, tienen formas características que facilitan su identificación. Cuando están teñidas, sus colores proporcionan pruebas adicionales que ayudan a los investigadores a encontrar coincidencias. Para la identificación de fibras artificiales, como el nailon, se usan pruebas químicas.

Pruebas sucias

Barro, porquería, suciedad, insectos muertos..., y gusanos vivos. Al limpiar, barremos, frotamos y pulverizamos para librarnos de estas cosas indeseables, pero los forenses las coleccionan. La coincidencia de las muestras tomadas del sospechoso, la víctima y el escenario del crimen puede servir para probar un vínculo entre ellas. Los objetos vivos, como el polen, resultan útiles para revelar la estación del año o el momento del día en que se ha producido un crimen.

▲ Con la ayuda de un microscopio estereoscópico, los forenses pueden detectar restos diminutos de suciedad incluso en calzado aparentemente limpio tomado de un sospechoso. La suciedad será una prueba de culpabilidad si coincide con las muestras de suelo tomadas en el escenario del crimen.

▼ Los entomólogos forenses (expertos en insectos) disponen de librerías de moscas muertas (en la parte superior de la página) y sus gusanos (parte inferior de la página). Cuando estos se encuentran en un cadáver, la fase de desarrollo de la mosca permite a los técnicos calcular la hora de la muerte.

El barro como prueba

Al huir los delincuentes del escenario de un robo, las ruedas de sus vehículos giran en la tierra. Al localizar el coche, la policía detecta el barro en los surcos de los neumáticos. La coincidencia de este barro con el del escenario del crimen revela que el vehículo se usó en el robo. Para confirmar que las dos muestras proceden del mismo lugar, estas se estudian al microscopio y se comparan el tamaño, la forma y el tipo de las partículas. Por ejemplo, la arena seca tiene bordes muy afilados, pero la arena de la playa es redondeada.

A por flores

Las semillas y otras partes de las plantas se usan de forma muy similar. El examen microscópico ayuda a identificar el tipo de planta del que procede el material. Las sospechas aumentan si las se-

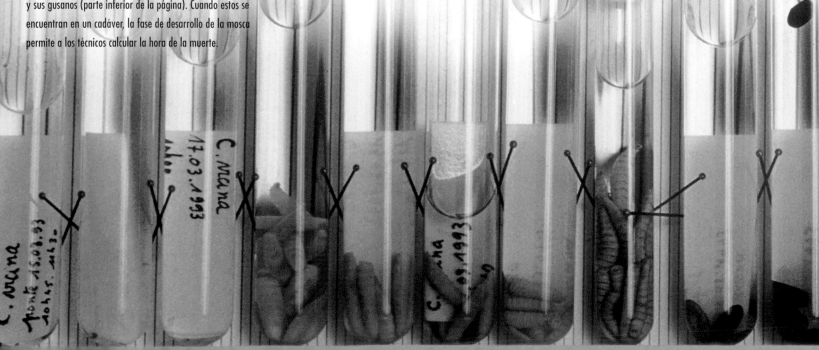

millas de una planta poco corriente halladas en el escenario del crimen, se encuentran en la ropa de un sospechoso. Las plantas producen polen en primavera y semillas en verano. Por eso, el análisis de ropas sucias permite a los técnicos policiales demostrar no solo que un sospechoso ha estado presente en el escenario de un crimen, sino también cuándo ha estado en él.

Muestras de pelo

Al igual que las fibras de ropas, los cabellos tienen formas y colores especiales. Estas propiedades ayudan a los forenses a encontrar coincidencias o a averiguar de dónde proceden. Si se estudia el cabello humano al microscopio, se ven algunas diferencias notables. El pelo del cuero cabelludo se ve redondeado en un corte transversal; el vello de las axilas es ovalado; el de la barba es ligeramente triangular. Además, el cabello almacena un registro de estilo de vida, contaminación y productos químicos. Por ejemplo, el análisis de cabellos puede revelar si un sospechoso tiene un historial de drogadicción.

Los bichos que salvaron al marino

Poco después de la muerte, las moscas pueden poner sus huevos en los cadáveres y el ciclo vital de las larvas que salen de ellos revela el momento de la muerte de la víctima. Un capitán de un ferri húngaro fue acusado de asesinato cuando fue encontrado en su transbordador un cadáver. Al hacer la autopsia, se hallaron huevos y larvas de mosca en el cadáver. Un entomólogo forense probó que los huevos eran de un tipo de mosca diurna, que está activa durante el día. El capitán entraba a trabajar a las seis de la mañana, y la víctima tenía que haber muerto antes, con lo que el capitán no podía haber sido el asesino y fue puesto en libertad.

▼ Los diminutos granos de polen (púrpuras en la imagen) de distintas plantas, aumentados muchas miles de veces, presentan un aspecto único. Su forma ayuda a los detectives a averiguar con qué plantas ha podido estar en contacto un sospechoso o una víctima.

Delitos informáticos

Nuestro mundo de nuevas tecnologías parece el caldo de cultivo perfecto para la delincuencia. Los programadores corruptos entran en los sistemas informáticos de los bancos, roban y se esfuman. Sin embargo, conforme la ciencia forense se pone a la altura de los delitos informáticos, escapar a la justicia resulta más complicado. Los expertos informáticos saben cómo encontrar pistas ocultas en los discos duros y pueden rastrear a los usuarios de Internet.

Más ordenadores, más delincuencia

La difusión de los ordenadores ha facilitado los viejos delitos: por ejemplo, los chantajistas tradicionales ya pueden hacer sus demandas por correo electrónico. Además, ha generado nuevos delitos: los virus informáticos no existían hace veinticinco años, porque poquísimas personas tenían ordenador.

Ordenadores infectados

Los virus informáticos son pequeños programas que se copian a sí mismos. Se propagan por correo electrónico y circulan invisiblemente, provocando daños en los ordenadores. Para dar con los programadores de los virus, los expertos en seguridad informática siguen el rastro de propagación de la infección. Además, buscan pistas en el código del virus: a menudo los programadores ocultan sus firmas entre las líneas de código.

El virus Melissa

En marzo de 1999, millones de usuarios de ordenadores abrieron un «mensaje importante» que aparentemente procedía de un amigo de confianza. En realidad, era un virus que causó pérdidas valoradas en ochenta millones de dólares. El proveedor de servicios de Internet AOL descubrió que uno de sus usuarios había enviado el virus, llamado Melissa, a uno de sus foros. Mediante el análisis de los registros informáticos, AOL encontró el número de teléfono con el que el autor del virus solía conectarse. Esta pista condujo al FBI hasta un programador de Nueva Jersey, llamado David Smith, que pasó veinte meses en prisión.

Fraude informático

Los virus que invaden Internet son noticia, pero los especialistas en delitos informáticos invierten la mayor parte de su tiempo examinando los ordenadores

▲ Los timadores engañan a los usuarios informáticos para que les revelen sus contraseñas secretas. Los mensajes de correo electrónico basura piden a sus víctimas que confirmen sus datos tecleándolos en páginas web falsas de aspecto idéntico a las páginas reales de los bancos. Después, los delincuentes utilizan las contraseñas para robarles el dinero a los usuarios engañados.

▼ Los expertos informáticos se mantienen al tanto de posibles ataques de *hackers* analizando el flujo de datos y mensajes de Internet. Un aumento de volumen repentino puede poner de manifiesto la rápida difusión de un nuevo virus. Si estas infecciones no se detienen, miles de equipos de todo el mundo podrían colapsarse.

incautados en delitos como el fraude. La recuperación de datos de estos equipos constituye una tarea particularmente compleja, porque el simple encendido de un ordenador puede borrar pruebas valiosas. Por eso, los técnicos hacen una copia exacta del disco duro del equipo sin iniciar el ordenador incautado. El trabajo con esta copia les permite dejar intacto el original.

La forma en que los ordenadores almacenan los datos facilita la labor de los técnicos. Cuando los delincuentes borran los archivos de un disco duro, los datos no se destruyen: el archivo se vuelve invisible. Ni siquiera los delincuentes que borran por completo las cartas o los correos electrónicos que podrían probar su culpabilidad están a salvo. Los ordenadores almacenan múltiples copias como archivos temporales. Los especialistas en delitos informáticos pueden localizar y leer estos duplicados.

▲ Cuando el virus «I love you» se extendió por correo electrónico en mayo de 2000, Internet sufrió una parada en seco, y muchas empresas perdieron miles de millones de dólares. Los investigadores rastrearon el ataque hasta llegar a un filipino de veintitrés años, Onel de Guzmán, que lo habría creado para un proyecto universitario. En Filipinas no existe una ley que penalice a los programadores de virus, con lo que Guzmán se libró de la condena.

Fraude por Internet

En 1994 Vladimir Levin se introdujo en un ordenador del Citibank en Nueva York. Sin moverse de su escritorio en San Petersburgo (Rusia), transfirió electrónicamente más de cinco millones de dólares del banco a sus propias cuentas. Los investigadores le siguieron el rastro dejando que continuara con sus operaciones, hasta que el dinero y las llamadas telefónicas los condujeron a Rusia.

Estos casos son poco corrientes, porque ahora los bancos protegen mucho sus ordenadores centrales. A los timadores les resulta más sencillo atacar a los bancos con página web, mediante el llamado *physing*, que consiste en enviar millones de mensajes de correo electrónico basura para arrastrar con engaños a los clientes de un banco hasta páginas web falsas, que a menudo son idénticas a la página web del banco en cuestión, pero son un auténtico fraude. Se les pide a los clientes que introduzcan sus códigos de seguridad y sus contraseñas. Con esta información, los delincuentes pueden vaciar la cuenta del cliente.

▼ El envío de información por Internet no es seguro salvo que el navegador muestre un simbolito de un candado en la parte inferior de las páginas. Los usuarios que introducen el número de sus tarjetas de crédito en páginas no seguras se arriesgan a que se lo roben. Después, los ladrones falsifican las tarjetas con la misma numeración y pueden generar facturas millonarias.

Incendios y explosiones

Las bombas y los incendios provocados convierten los edificios y los vehículos en escombros carbonizados. Sin embargo, ni las explosiones ni las llamas pueden reducirlo todo a cenizas. Los expertos forenses, rebuscando entre las ascuas, suelen encontrar lo suficiente del dispositivo desencadenante de la destrucción como para localizar a los delincuentes que lo colocaron.

Lenguas de fuego

Los edificios están diseñados para resistir un incendio, por lo que los incendiarios empiezan sus fuegos con acelerantes, es decir, combustibles que arden rápido, como la gasolina. Para evitar quedarse atrapados entre las llamas, algunos usan temporizadores. Un temporizador eléctrico o incluso una vela apoyada en unos trapos empapados en aceite retardan el fuego hasta que la mecha arde muy baja.

Una detonación mayor

Las bombas pueden ser complejas o sencillas, pero el resultado suele ser el mismo: destrucción y a menudo muerte. Las bombas más toscas se hacen con explosivos poco potentes. Por ejemplo, puede crearse una mezcla explosiva con un fertilizante y un combustible diésel. Los terroristas prefieren los explosivos potentes, como el Semtex, del que basta un puñado para volar un coche. Hacer estallar un explosivo no es tan sencillo como podría parecer. La mayoría no explota sin un detonador. Estos disposi-

◄ A pesar de la destrucción que produce un coche bomba terrorista, el patrón de daños puede conducir a los investigadores al punto exacto del vehículo en el que se encontraban los explosivos.

tivos, accionados por un temporizador, se incendian con una explosión diminuta que, después, hace estallar la carga principal.

Investigación

Los técnicos policiales que investigan incendios y explosiones deben encontrar, primero, la causa de la destrucción. Una tubería de gas reventada, por ejemplo, podría provocar daños similares a los de una bomba terrorista.

Para rastrear la causa de un incendio, los investigadores necesitan determinar el punto en que este se inició. A menudo, las únicas herramientas que precisan son los ojos. En el escenario de un incendio provocado puede haber acelerantes. Para encontrar rastros pequeños, usan dispositivos «husmeadores» electrónicos que los detectan.

Los restos de hollín y metralla conducen al foco del incendio o la explosión. Este es el punto de inicio de la destrucción y es en él donde los investigadores esperan encontrar el dispositivo responsable de las llamas o la explosión.

Para identificar el explosivo o el acelerante usados en el escenario del crimen, los agentes especiales recogen pruebas en recipientes herméticos. En el laboratorio criminalístico, los forenses examinan las pruebas con microscopios en busca de restos de explosivo. También llevan a cabo pruebas químicas de cualquier vapor encontrado en

el interior de los recipientes. Sus instrumentos revelan la firma única de los compuestos químicos utilizados por los terroristas o los pirómanos.

▼ Una búsqueda exhaustiva en el foco de la explosión puede revelar la presencia de restos de baterías, cables y un temporizador. El cotejo de estos vestigios con una base de datos de dispositivos empleados en ataques similares pone a la policía sobre la pista del terrorista.

◄ En los incendios sospechosos, la policía y los bomberos trabajan juntos para lograr que los edificios sean seguros y comprobar que todo el mundo se encuentra a salvo. Después acordonan la zona para asegurarse de que solo accede al escenario del crimen el personal imprescindible.

Drogas y venenos

En los emocionantes relatos de crímenes reales del pasado, los astutos asesinos echaban polvos letales en las bebidas de sus víctimas. Además, nadie los descubría, pero eso ha cambiado, porque los envenenadores de hoy en día no pueden superar las pruebas de los toxicólogos. Estos especialistas forenses buscan toxinas —alcohol, drogas y venenos— en la sangre, la orina y los tejidos humanos.

▲ Los estuches de pruebas forenses cambian de color cuando se mezclan con drogas. En la demostración de la imagen, el azul es de *crack,* el negro de marihuana y el rojo indica la presencia de anfetaminas. Los análisis de orina en busca de sustancias tóxicas son mucho más precisos, porque deben detectar las diminutas cantidades que pasan por el cuerpo de un toxicómano.

Pruebas precisas

En el laboratorio toxicológico, filas de máquinas procesan muestras tomadas de los sospechosos y los cadáveres. Estos instrumentos pueden detectar una droga diluida cinco mil millones de veces, el equivalente de dos aspirinas disueltas en una piscina olímpica. No es de extrañar que los envenenadores tengan tan pocas posibilidades de evitar que los arresten.

De hecho, los toxicólogos ya casi nunca encuentran casos de asesinato por envenenamiento. La mayoría de los casos de envenenamiento son accidentes, como las sobredosis de drogas o la ingestión de herbicida por error.

Búsqueda de drogas

Los toxicólogos trabajan con muestras de fluidos corporales o de órganos como el hígado, que se extraen durante la autopsia. Pero no todas las muestras son de sujetos muertos.

◄ El ántrax, una bacteria mortal, enviada en el interior de la correspondencia, mató a tres estadounidenses en 2001. Los científicos que estudiaron el ADN del germen descubrieron que se había cultivado en un centro de investigación del ejército estadounidense. No se volvió a arrestar a nadie más por este delito.

▲ El envenenador Crippen fue el primer delincuente arrestado mediante el recién inventado receptor de radio. El capitán del barco en el que viajaba el delincuente lo identificó y se lo comunicó por radio a la policía canadiense.

Los toxicólogos también colaboran con la policía para impedir que la gente utilice drogas ilegales. Los agentes judiciales llevan a cabo pruebas sencillas cuando se produce un arresto. Con un estuche de tiras de análisis de orina puede saberse en solo cinco minutos si hay alguna sustancia ilegal en el organismo del sujeto, ya que la punta de la tira cambia de aspecto o de color cuando esto ocurre. Si el resultado es positivo, se toma una muestra de sangre del sujeto para analizarla posteriormente en el laboratorio.

Pruebas en dos fases

En el laboratorio se realizan las pruebas en dos fases: primero se comprueba si la muestra contiene drogas y después se calcula la cantidad exacta. En los laboratorios, los toxicólogos realizan las pruebas con máquinas, como pequeños robots, que succionan las muestras, las preparan, las analizan y revelan los resultados en una pantalla de ordenador. Esta tecnología es esencial en las pruebas de alcoholemia. El análisis de muestras de conductores ebrios constituye la mayor parte del trabajo del laboratorio toxicológico, y los análisis manuales llevarían demasiado tiempo.

Captura del doctor Crippen

Cuando el doctor Hawley Crippen (1862-1910) anunció que su esposa infiel había dejado Londres para volver a Estados Unidos, sus amigos empezaron a sospechar. Tras la desaparición del propio Crippen, la policía abrió la bodega de su casa y encontró el cuerpo de su esposa. Los análisis revelaron una dosis letal de hioscina. A Crippen lo vieron en un trasatlántico con su atractiva secretaria disfrazada de hombre. La pareja fue detenida cuando el barco atracó en Canadá, y Crippen fue ahorcado por asesinato cuatro meses después.

▶ La policía encontró esta bolsa de heroína durante el registro del piso de un traficante. Los toxicólogos normalmente se encuentran con la droga cuando los toxicómanos son víctimas de una sobredosis. Se manifiesta en la sangre, en el pelo y en el tejido de los órganos de los que mueren de sobredosis.

▶ El hecho de que el veneno sea fácil de detectar disuade a los delincuentes de utilizarlo, pero los terroristas no temen que los descubran. Utilizan el veneno para sembrar el pánico y el caos. Lo consiguieron en 2004, cuando una amenaza de envenenamiento logró que se cerrara buena parte del congreso de Estados Unidos. Los marines estadounidenses tuvieron que ponerse trajes protectores para comprobar si existía ricino, un veneno nervioso mortal, que fue enviado a un político estadounidense.

Armas

En la investigación de un asesinato, hallar un arma acerca a los investigadores un poco más al asesino. Aunque los cuchillos y los palos rara vez dejan marcas identificativas en las víctimas, las armas de fuego proporcionan a los detectives pruebas más útiles. Las muescas del interior del cañón de un arma, conocidas como *estrías,* marcan las balas con surcos tan distintivos como las huellas dactilares. Al apretar el gatillo, las manos del asesino se manchan, lo cual también facilita la identificación.

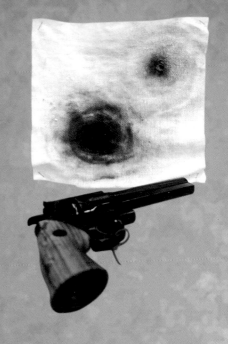

¿De qué arma procede el disparo?

Por la forma de una bala, los expertos en balística —forenses especializados en armas y en su uso— pueden saber qué tipo de arma la disparó. Sin embargo, averiguar exactamente con qué arma se hizo es algo más difícil. Esto se consigue estudiando los surcos que las estrías del

▼ Los agentes encargados de la inspección del escenario del crimen manipulan las armas de fuego con un cuidado extremo, no solo para preservar las pruebas sino también porque las armas son mortales cuando están cargadas. En la imagen, una investigadora extrae todos los cartuchos de la recámara para evitar posibles peligros, y lleva guantes a fin de no dejar sus huellas en el arma.

▲ Al realizar disparos de prueba con un arma desde distintas distancias, los expertos en balística pueden calcular a qué distancia estaban el asesino y la víctima. A poca distancia, un arma deja más pólvora alrededor de la herida.

cañón producen en la bala. Las muescas del cañón del arma se encargan de hacer girar la bala para mantener recta su trayectoria.

Coincidencia de la bala y el arma

Las marcas de las estrías tienen más valor como prueba si los investigadores encuentran el arma de un sospechoso. Para determinar si el arma disparó la bala fatal, la cargan y disparan. La captura de la bala de forma segura en agua o un material blando permite preservar los surcos reveladores. Con un microscopio de comparación, el experto en balís-

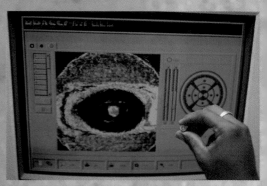

▲ La base de datos estadounidense conocida como *Brasscatcher* registra imágenes de los casquillos de armas utilizadas en crímenes.

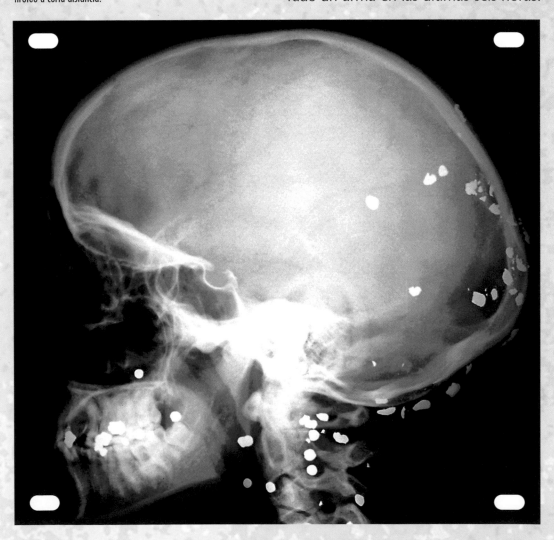

▶ Los nuevos estuches permiten a los agentes limpiar las manos a un sospechoso con un algodoncito humedecido en un producto químico especial y averiguar de inmediato si ha disparado un arma recientemente.

◀ En una prueba de armas, un experto en balística apunta el arma al interior de un tanque de agua. La comparación de la bala con las halladas en el escenario del crimen demostrará si el sospechoso ha disparado esa arma.

Manos sucias

Las armas de fuego dejan otro tipo de marca que resulta muy útil a los técnicos policiales para seguir el rastro a los asesinos. Una pequeña cantidad del explosivo del casquillo sale siempre disparada por pequeños orificios en el mecanismo del arma: son los *residuos de disparo*. Parte de estos terminarán en la mano del delincuente, por lo que analizar las manos del sospechoso en busca de residuos de disparo puede ayudar a demostrar que ha disparado un arma en las últimas seis horas.

tica puede ver si las marcas coinciden con las encontradas en la bala tomada del cuerpo de la víctima.

Cuando no se dispone del arma, los expertos en balística pueden comprobar si los surcos coinciden con los de balas disparadas en crímenes anteriores. Esto se hace con la ayuda de un programa informático que almacena y compara las marcas de las estrías.

Casquillos

Las balas no son el único tipo de prueba útil que puede proporcionar un arma de fuego. Por cada bala disparada hay un casquillo. Este tubo metálico contiene la carga explosiva que propulsa la bala. Al apretar el gatillo de un arma, una pieza martillea el extremo del cartucho de la bala, lo que provoca la detonación del explosivo que hay en su interior. El martillo deja una marca tan distintiva como los surcos de la bala, que también puede cotejarse de forma parecida.

La mayoría de las armas expulsan un casquillo (la funda del cartucho) cada vez que se disparan. El punto en el que caigan los casquillos puede ayudar a los detectives a calcular dónde se encontraba el sujeto que apretó el gatillo (pág. 15).

▼ Los perdigones de una escopeta se esparcen al salir del cañón del arma. Esta placa de rayos X muestra el resultado de un tiroteo a corta distancia.

Imitaciones y falsificaciones

Parecen billetes de 50 €. Tienen el tacto del dinero y están impresos en un papel grueso y consistente como los billetes de banco. Pero los billetes falsificados no tienen valor. El dinero es el blanco más antiguo y más fácil de los falsificadores, pero hoy en día estos delincuentes no tienen ningún problema en copiar documentos valiosos, obras de arte, tarjetas de crédito, películas en DVD, relojes o incluso ropa de diseño.

Piratas de marcas

Dior, Nike, Rolex, Adidas, Prada… Las marcas de diseñadores son símbolo de calidad y estilo, pero ¿cómo puede uno estar seguro de que lo que lleva es auténtico? ¿Realmente importa? Los falsificadores se están haciendo de oro vendiéndonos artículos falsos con exactamente el mismo aspecto que los de las marcas a las que imitan.

▼ Los DVD piratas que estos soldados ecuatorianos están destruyendo se venden por una parte muy pequeña del coste del producto real. La escasa calidad de las grabaciones no disuade a los clientes, que compran nueve falsificaciones por cada disco auténtico vendido.

◄ La falsificación de pasaportes es un gran negocio, pero hacer un pasaporte que parezca auténtico no es sencillo. La mayoría de las veces los falsificadores compran pasaportes robados y cambian la foto y el nombre por los de la persona que lo compra.

máquinas se modificaron para poder detectar las falsificaciones.

Engaños en la caja registradora

A las personas no se las engaña tan fácilmente como a las máquinas, aunque algunos billetes muy bien falsificados son difíciles de distinguir de los auténticos. Para reconocer las falsificaciones, los expertos en documentoscopia (especialistas en imitaciones y falsificaciones) usan microscopios y productos químicos. El seguimiento del tipo y el origen del papel y la tinta pueden conducirlos hasta los falsificadores. Al realizar un croquis de donde los delincuentes han usado billetes idénticos, pueden seguir el progreso de los falsificadores, lo que con suerte dará lugar a su arresto.

Víctimas de la moda

La detección de un artículo falso resulta muy complicada, porque los falsificadores son muy listos. Cuando las brigadas antipiratería hacen una redada en una fábrica textil, llevan consigo a expertos en moda para que examinen cada puntada. Las empresas textiles usan etiquetas difíciles de falsificar y elementos de seguridad ocultos que solo pueden detectarse si uno sabe dónde buscar. Pero mientras haya gente que se vuelva loca por la moda sin importarle el precio, seguirá existiendo este tipo de comercio fraudulento.

Impresión de dinero

El dinero es muy distinto de la ropa. Nadie quiere un billete falso, y los bancos intentan que sus billetes sean imposibles de copiar. Usan impresiones diminutas, tintas especiales, bandas de papel de aluminio, hologramas y marcas de agua, que son imágenes solo visibles al sostener el billete a la luz.

A pesar de todo, los falsificadores consiguen copiar los billetes, con la ayuda de muy distintos métodos de impresión y papeles. Ninguno de ellos iguala a las imprentas especiales que usan los bancos, aunque algunos se acercan mucho. Las fotocopias en color eran suficientemente buenas para engañar a las máquinas de cambio hasta que tanto los billetes como las

▼ En el caos de las guerras proliferan los falsificadores. Los soldados estadounidenses encontraron estos billetes sin cortar al invadir Irak en 2003. Los delincuentes que los imprimieron confiaban en hacerlos pasar como auténticos poco tiempo después.

El plástico no tan fantástico

Las tarjetas de plástico de los bancos son más fáciles de falsificar que el dinero, porque cada banco usa patrones distintos, mientras que todos los billetes de 50 € tienen el mismo aspecto. Los delincuentes buscan cómo burlar las opciones de seguridad de las tarjetas. Por ejemplo, los empleados deshonestos de tiendas y restaurantes pasan las tarjetas auténticas por lectores de tarjetas de bolsillo para robar los datos de seguridad de las bandas magnéticas. La grabación de estos datos en tarjetas falsas les garantiza su aceptación en cualquier comercio.

Para combatir este tipo de delitos, los expertos en documentoscopia buscan vínculos entre las tarjetas, como un defecto diminuto en el nombre impreso. Esto les permite identificar las tarjetas fabricadas por los mismos falsificadores.

Obra de arte falsa

La falsificación de obras de pintores famosos es más compleja que la de una tarjeta de crédito. Para conseguir cuadros que puedan engañar a los expertos en arte, los falsificadores no solo deben imitar el estilo del artista, sino también copiar sus materiales. Las pinturas modernas son muy distintas de las que usaban los artistas de hace un siglo, por lo que el análisis de la pintura puede revelar la edad de un cuadro.

▲ Para comprobar si una pintura supuestamente antigua es auténtica, los científicos deben retirar fragmentos diminutos de pintura. Técnicas como la espectroscopia de masas y la espectroscopia infrarroja pueden revelar su composición.

Aunque una falsificación convincente puede venderse por millones, no todas las obras de arte falsas se venden a precios tan elevados. Dada la dificultad que conlleva la falsificación de la obra de grandes artistas, muchos falsificadores optan por proyectos más sencillos. Hacen obras de arte más baratas que los expertos no estudiarán tan detenidamente. Por ejemplo, la mitad de las esculturas de bronce de la Grecia clásica son probablemente falsas, porque son muy fáciles de hacer. Se venden bien a coleccionistas particulares, porque es más difícil que detecten una falsificación que el personal de las galerías, que tiene acceso a los instrumentos necesarios para verificar los materiales empleados.

◄ El falsificador inglés Tom Keating (1918-1984) engañó al mundo del arte pintando cientos de falsificaciones. Algunas aún cuelgan de las paredes de alguna galería de arte. Keating no lo hizo por dinero. Su fracaso como artista lo llevó a falsificar la obra de otros para vengarse de los críticos.

RESUMEN DEL CAPÍTULO 3: LABORATORIO CRIMINALÍSTICO

La necesidad de un laboratorio

Buena parte del trabajo del forense se realiza en un laboratorio. Una de las tareas más importantes es el examen de los cuerpos de los fallecidos en circunstancias sospechosas. En la autopsia, el patólogo forense explora detenidamente el exterior del cuerpo, después lo abre y analiza los órganos, los tejidos y los fluidos.

¿Qué sucede en el laboratorio?

Los forenses estudian los vestigios dejados por los delincuentes. Los agentes los recogen en el escenario del crimen con la ayuda de cinta adhesiva o aspiradores especiales y los examinan al microscopio. El mundo natural es una buena fuente de pruebas útiles. El suelo, las plantas y los insectos encontrados en los cadáveres pueden dar a los científicos muchas pistas sobre el crimen cometido.

Para localizar pruebas almacenadas electrónicamente, se utilizan equipos y programas informáticos. En este caso, el objetivo de los científicos son los delincuentes tradicionales o los *hackers* que hacen estragos en Internet.

Otros forenses se especializan en incendios y explosiones. Escudriñan las pruebas de los escenarios de devastación para averiguar qué produjo la explosión o las llamas. Buscan rastros de un temporizador que podría contener pistas esenciales sobre la identidad del individuo que inició el fuego.

En el laboratorio, los toxicólogos analizan los fluidos corporales en busca de pruebas de drogadicción o envenenamiento. Gran parte de su trabajo consiste en demostrar la culpabilidad de los conductores ebrios.

Si hay armas en el escenario del crimen, se llama a los expertos en balística, que las disparan y comparan sus balas con las encontradas en el escenario del crimen. Las muescas y los surcos pueden revelar si se trata de la misma arma usada en el crimen. Los casquillos llevan marcas que pueden facilitar información similar. Los residuos de disparos en las manos del delincuente permiten demostrar que apretó el gatillo.

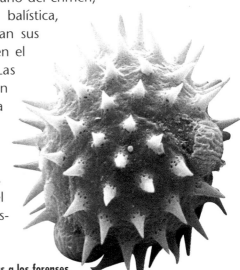

Los granos de polen proporcionan pistas a los forenses.

Profundiza...

Sobre temas relacionados con los delitos informáticos y cómo pueden ser descubiertos, puedes acceder al portal dedicado a la ciencia informática forense a través de la página web http://www.forensic-es.org.

Para entrar en contacto con todo lo referente al laboratorio criminalístico puedes visitar la página web del Laboratorio de Investigaciones Criminalísticas en http://www.ucm.es/info/medlegal/criminalistica/criminalistica.htm.

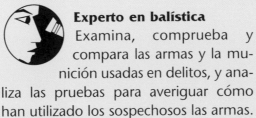

Experto en balística

Examina, comprueba y compara las armas y la munición usadas en delitos, y analiza las pruebas para averiguar cómo han utilizado los sospechosos las armas.

Experto en grafología

Examina los documentos sospechosos para detectar cambios, decide si son auténticos o falsos, y coteja la caligrafía y las firmas.

Experto en nuevas tecnologías

Extrae la información almacenada en el equipo electrónico del sospechoso: ordenador, agenda electrónica y móvil.

Experto en toxicología

Analiza los fluidos y tejidos corporales en busca de rastros de drogas y alcohol.

Un lugar muy completo, que cubre todas las áreas de la investigación criminalística —que expone todos los instrumentos y medios utilizados en la comisión de crímenes, de la misma forma que para esclarecerlos—, desde la Edad Media hasta nuestros días, podrás encontrarlo en el Museo de Antropología Médico-Forense, Paleontología y Criminalística de la Escuela de Medicina Legal de la Universidad Complutense de Madrid (tfno.: 91 394 15 78).

Glosario

asesino Homicida, especialmente el que ataca por sorpresa.

bacterias Seres vivos diminutos, algunos de los cuales provocan enfermedades en animales o plantas.

base de datos Conjunto de datos informatizado.

bisturí Instrumento en forma de cuchillo, de hoja muy afilada utilizado por los cirujanos para realizar incisiones.

bolsas para cadáveres Bolsas con cremallera usadas para transportar cadáveres que permiten preservar las pruebas adheridas a ellos.

búsqueda manual Búsqueda muy detallada en la que los técnicos policiales registran, con las manos, una zona en busca de pruebas.

cadáver Cuerpo sin vida.

cadena de custodia Lista de todas las personas que han buscado una prueba entre el escenario del crimen y el juzgado.

cadena de prueba Serie de hechos o pruebas vinculados.

cañón del arma Extremo anterior en forma de tubo de un arma que conduce la bala hacia el blanco.

careo *Véase* rueda de identificación.

casquillo Funda de bronce que mantiene unidos la bala y la carga explosiva necesaria para dispararla.

CCTV o **cámara de seguridad** Cámara de circuito cerrado de televisión.

chantajista Persona que dispone de información que puede perjudicar a su víctima y exige dinero a cambio de mantenerla en secreto.

corte transversal Aspecto que presenta algo cuando se corta por la mitad.

culpable Responsable de un delito.

dactilograma Cartulina a la que los detectives adhieren una prueba (por ejemplo, alguna huella dactilar).

detector de mentiras o **polígrafo** Dispositivo usado para medir los cambios que experimentan el sudor, la respiración y el ritmo cardíaco de un sospechoso cuando da respuestas falsas a las preguntas que se le formulan.

DFO Abreviatura de *1,8 diaza 9 fluorenone*, producto químico que hace brillar las huellas dactilares sobre papel.

droga Fármaco o producto químico usado en ocasiones ilegalmente para generar un estado de consciencia alterado.

escala Línea recta dividida en partes iguales que permiten calcular el tamaño de un objeto o la distancia entre objetos.

estrias Muescas del interior del cañón de un arma de fuego que hacen que la bala gire sobre sí misma estabilizándola e incrementando su alcance y su exactitud.

explosión Detonación causada por una bomba o la combustión descontrolada de gas o carburante.

FBI Sigla de *Federal Bureau of Investigation* (Oficina Federal de Investigación), agencia nacional de detectives estadounidense.

fibra Cada uno de los filamentos de que se compone un tejido.

fotografía de frente y de perfil Par de fotografías con que se ficha a los delincuentes en los archivos policiales.

genes Secuencias de compuestos químicos simples que controlan la forma y el desarrollo de todo ser vivo y que se heredan de los padres.

hacker Persona que se introduce ilegalmente en un sistema informático y modifica o roba los datos almacenados en él con el fin de cometer un delito o divertise.

inocente Persona que no es culpable de un delito. *Véase* también culpable.

juez Funcionario responsable de un juzgado o tribunal y que decide qué pena debe aplicarse a un delincuente.

juicio Proceso por el cual se decide si un sospechoso es culpable y, si lo fuera, cómo debe ser castigado.

jurado Grupo de personas corrientes que escuchan la presentación de las pruebas en un juicio y deciden si el sospechoso es culpable o inocente.

juzgado Lugar en el que se celebra un juicio.

muerte sospechosa Cualquier muerte que la policía considere que podría haberse producido como consecuencia de un hecho delictivo, como el asesinato.

palanca Barra metálica con gancho usada para abrir algo a la fuerza.

patólogo Médico especializado en el estudio de las enfermedades y las lesiones y sus causas.

pincel magnético Pincel que contiene un imán y se usa para empolvar huellas dactilares con polvo de hierro sin llegar a tocarlas.

piratería Acción de copiar el trabajo de otro o los productos de una empresa.

placas dentales Placa que muestra el estado de cada uno de los dientes de una persona.

policía científica Grupo de funcionarios especializados en la investigación y desarrollo de técnicas científico-policiales dirigidas a la investigación del delito y a la identificación del delincuente.

prueba Objeto, información o marca que proporciona datos sobre el delito a los investigadores.

pulso Latido de las venas y las arterias de una persona causado por el bombeo de sangre al corazón.

radiación ultravioleta Forma invisible de energía similar a la luz.

reflexión de la luz Capacidad de una sustancia transparente, como el cristal, de reflejar un rayo de luz que la atraviesa.

rueda de identificación Oportunidad que se concede al testigo de señalar a un sospechoso de entre un grupo de personas de aspecto similar.

signos vitales Signos, como la temperatura corporal o el pulso, que indican que una persona está viva.

sospechoso Persona a la que los investigadores consideran un posible culpable de un delito.

spam Correo basura no deseado que a menudo contiene programas ocultos que dañan los sistemas informáticos en los que se ejecutan.

test de orina instantáneo Tira de prueba que cambia de color al sumergirla en la orina si la persona se ha administrado recientemente una droga, o se detecta la presencia de glucosa o sangre.

traza Cualquier tipo de prueba en la que los objetos o las marcas son menos importantes que el dibujo que forman.

UPC Sigla de *Unidad de Policía Científica.*

VDM Sigla de *Vacuum Metal Deposition,* deposición de metales en vacío, sistema por el cual pueden hacerse visibles las huellas dactilares encontradas en superficies lisas, como el plástico.

Índice alfabético

Agradecimientos

La editorial quiere dar las gracias a quienes figuran a continuación por permitir la reproducción de su material. Se ha procurado en todo momento localizar a los titulares de los derechos de autor. Si se ha producido alguna omisión involuntaria o algún error en relación con dichos derechos, la editorial se disculpa de antemano y se compromete a realizar las correcciones que fueran necesarias en futuras ediciones de esta obra.

Clave: b = abajo, c = centro, l = izquierda, r = derecha, t = arriba

Cubierta, izquierda, Science Photo Library (SPL)/Michael Donne; cubierta, centro fondo, SPL/Mehau Kulyk; cubierta, centro primer plano, SPL/Mehau Kulyk; cubierta, derecha, SPL/Tek Image; página 1 Corbis/Reuters; 2-3 Corbis/Ron Sachs; 4-5 Getty News; 7 Getty Stone; 8-9 Alamy/Wesley Hitt; 8bl Corbis/Mark Peterson; 9tr Getty News; 9br Getty Stone; 10-11 Alamy/Shout; 10tr Getty Stone; 11br Corbis/Reuters; 12bl Associated Press; 12cr SPL/Michael Donne; 13 SPL/Michael Donne; 14tr Alamy/Plainpicture; 14b Alamy/Carphoto; 15bl Getty News; 15 Getty Stone; 16-17 Corbis/Mark Peterson; 16bl SPL/Pascal Goetgheluck; 17tr SPL/Alfred Pasieka; 18t Alamy/Imagesource; 18tr SPL/Volker Steger; 18b Alamy/Comstock; 19 Alamy/JG Photography; 19b Alamy/Mikael Karlsson; 20bl SPL/Volker Steger; 20r Getty; 21br Corbis/Charles O'Rear; 22 Rex Features; 23 Digital Vision; 24-25 SPL/Andrew Syred; 24bl Corbis; 24-25c Corbis/Robert Patrick; 25tr SPL/Eurelios; 25b SPL/Peter Menzel; 26-27 Imaging Body; 26tr Getty Photographer's Choice; 26b SPL/Tek Image; 27br SPL/Colin Cuthbert; 28-29 Corbis; 28tr Alamy/Pat Behnke; 28bl Getty/Photographer's Choice; 28br Corbis; 29t Alamy; 29b SPL/Mauro Fermariello; 30l Corbis/Sygma; 30cr SPL/Mauro Fermariello; 30br SPL/ Michel Viard; 31b SPL/ John McClean; 32 SPL/Mauro Fermariello; 32-33 Corbis; 33tl Corbis/Reuters; 33b SPL/Philippe Plailly; 34l Alamy; 35t Corbis/Reuters; 35b Corbis/Sygma; 36l Corbis/Reuters; 36-37c Corbis/Reuters; 37r Alamy/Brand X; 38 SPL/Peter Menzel; 39 SPL/Volker Steger; 40-41 Corbis/ San Francisco Chronicle; 41tr SPL/Custom Medical Stock; 43 SPL/Gca; 44-45 SPL/Eye of Science; 44tl SPL/David Scarf; 44tcl SPL/Eye of Science; 44bcl SPL/Eye of Science; 44bl SPL/Eye of Science; 44br SPL/Mauro Fermariello; 45tr SPL/Mauro Fermariello; 45bl Alamy/Mikael Karlsson; 46-47t SPL/Pascal Goetgheluck; 46tl PL/Volker Steger; 47br SPL/Susumu Nishinaga; 48-49 Getty Imagebank; 48tr Alamy; 49t Corbis/Sygma; 49br Alamy/Comstock; 50-51 SPL/Michael Donne; 50cl Corbis/Francois de Mulder; 50-51b Alamy/Blue Shadows; 51r Associated Press; 52-53 Corbis; 52tl SPL/Mauro Fermariello; 52cr Getty News; 52bl Corbis/CDC; 53tr SPL/Gusto; 53b Corbis/Reuters; 54tr Alamy/Mikael Karlsson; 54bl SPL/Mauro Fermariello; 54br Getty News; 55tl Getty News; 55tr Getty News; 55b SPL/ISM; 56-57 Corbis/Sygma; 56 Getty News; 57tl Getty News; 57b Getty News; 58 SPL/Andrew Syred; 58tr SPL/ Volker Steger; 58b Rex Features; 60l Imaging Body; 62-63 Rex Features; 64 Corbis/Reuters

La editorial quisiera igualmente mostrar su agradecimiento a los siguientes ilustradores:
34-35tr Encompass Graphics; 42-43r Jurgen Ziewe

10/08 1 3/08
1/10 2 2/09
1/11 ~ ③ 1/12
2/19 ④ 10/14